Cubierta y diseño editorial: Éride, Diseño Gráfico
Dirección editorial: ángel jiménez

Primera edición: marzo, 2025

Botarates
© Florián Recio
© VdB®, 2025
Espronceda, 5
28003 Madrid

VdB®

ISBN: 978-84-19850-8-98-0
Depósito Legal: M-7679-2025
Diseño y preimpresión: Éride, Diseño Gráfico

VdB® es una marca registrada de Éride, S.L.

 Este libro protege el entorno

Botarates

©Enrique Cidoncha

Florián Recio
(Almendralejo, 1962)

Es licenciado en Filología Hispánica y máster en Lexicografía Hispánica. Autor de dilatada carrera literaria como articulista en la prensa extremeña, novelista, varios libros de relatos y varias obras dramáticas representadas en los escenarios extremeños, no fue hasta el año 2013 cuando se representó por vez primera un texto suyo en la arena del Teatro Romano de Mérida, esta adaptación de *Los gemelos*, de Plauto, a cargo de Verboproducciones –cuyo director, el veterano y prestigioso actor Fernando Ramos, encarnaría al personaje Marcos Primero–, y bajo la dirección de Francisco Carrillo, experimentado maestro en el arte de la comedia. El resultado fue una obra fresca, musical y divertida que se ganó el favor del público desde el primer minuto. Recibió, entre otros, el Premio Ceres del Público aquel mismo año.

Después de este éxito, Florián Recio regresó en otras ediciones del Festival de Teatro Clásico de Mérida, de nuevo bajo la férula de Verboproducciones y la dirección de Francisco Carrillo, con la adaptación de *El cerco de Numancia*, de Cervantes y la representación de la tragedia *Viriato*, texto original en el que se recrea la vida y la muerte del héroe lusitano.

En la 62 edición del Festival de Teatro Clásico de Mérida del año 2016, Florián Recio adaptó para la compañía Suripanta y bajo la dirección de Esteve Ferrer, el texto de Jorge Llopis. *Los Pelópidas*, divertidísima parodia del mundo clásico grecolatino que, como en las anteriores ocasiones, cosechó elogiosas críticas y el beneplácito del público.

FLORIÁN RECIO

Botarates

Prólogo

Cuando a éride ediciones llegan noticias de Florián Recio es el año 2022, año en que decidimos publicar las obras teatrales que de este autor se habían representado en el Festival de Teatro Clásico de Mérida hasta la fecha. Empezamos con *Los gemelos*, comedia plautina que bajo la dirección de Francisco Carrillo, a las órdenes de Verbo Producciones S.L., se estrena con mucho éxito en el año 2013, en su edición número 60. A esta obra le seguirá *El cerco de Numancia*, *Los pelópidas*, *Viriato* y *La aparición*, poniendo así de manifiesto la capacidad de este autor tanto para la comedia como para la tragedia con las que ha cosechado reconocimiento y éxito.

Todas estas obras las puede encontrar el lector curioso publicadas bajo el sello VdB, del grupoéride, en la colección «Teatro de Mérida».

Pero la labor de Florián Recio como escritor no acaba en el ámbito teatral. Descubrimos en él a un autor versátil, con un amplio registro temático y formal. Las críticas han coincidido en señalar que estamos ante un autor heterogéneo en la temática, original en la forma y ameno en el estilo, que suele ir aderezado de cierta ternura y un humor socarrón y ágil que se ha convertido en su marca personal.

Así, amén del teatro ya mencionado el grupoéride, en el sello éride édiciones, cuenta en su catálogo con las siguientes obras salidas del ingenio de este autor: *Yo maté a Joaquín Dabina y otros relatos del azar* (colección

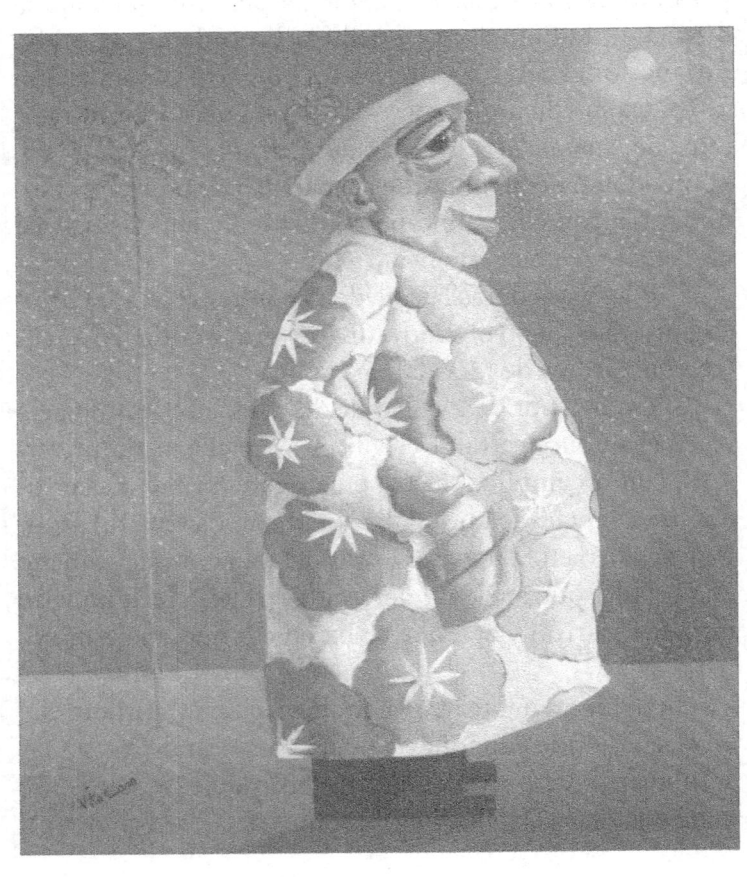

de relatos); *Apocalipsis imbécil* (ensayo); *Morirás en Sodoma* (novela), a las que se viene a sumar *Botarates*, una novela urbana a la que se le añade, además, en este mismo volumen, la versión teatral de la misma, realizada, claro está, por el propio autor.

La premisa de la que parte *Botarates* es la siguiente: un hombre al que la fortuna parece darle la espalda se encuentra de pronto ante un tremendo dilema, le ofrecen un millón de euros a cambio de asesinar a una persona. Partiendo de ese supuesto, el autor nos ofrece, con sus características pinceladas de ternura y humor, una reflexión sobre la amistad, el amor, la fidelidad, las dudas y la integridad.

1

Si me llegan a decir que aquella tarde me encañonarían la sien con un revólver me habría puesto el traje bonito, el de las bodas. Pobre impresión la que debe causar un cadáver en ropa de faena. Ni siquiera estaba seguro de no llevar algún roto en los calcetines. Una vergüenza. Por un momento imaginé a Andrea en compañía del forense, roja de bochorno, confirmando que ese patético fiambre era su esposo, y a un tris estuve de rogarle al pistolero que me concediera unos minutos para adecentarme. El tipo del revólver tenía cara de boxeador que no ha ganado un combate en su vida, solo que con las manos anilladas de oro y vestido de Armani. El rostro huesudo y contraído, como de mucho enfado. Empujó mis sienes con la punta de la pistola y yo quedé con los ojos en dirección a la ventana.

Y allí estaba.

La luna.

Llena, redonda y brillante, como la de mi infancia.

Como si por ella no hubiera transcurrido el tiempo.

Hacía años que no me detenía a mirarla. Una pena. Algo enigmático y profundo había en el azaroso hecho de que lo último que fueran a contemplar mis ojos fuese aquella enorme roca flotante. Me trajo memorias de una lejana noche. De una lejana vida. De cuando yo tenía no más de nueve o diez años. Recuerdo perfectamente estar frente al televisor. Mirando, con toda probabilidad, una de indios y vaqueros. O de romanos, que eran mis preferidas. De repente se me acercó mi abuelo y, con voz de secreto, me pidió que apagara el cacharro. Así llamaba él a la tele. El cacharro. Ese cacharro no escupe más que cuentos para botarates, dijo, y si en verdad quieres ver una maravilla, un prodigio antiquísimo, mucho más antiguo que el hombre, más antiguo que cualquier cosa antigua que hayas imaginado, algo tan maravilloso que causó pasmo a Espartaco y al mismísimo Julio César, no tienes más que apagar la tele y acompañarme.

Yo dudé. Él insistió.

—Sígueme.

No era hombre que soltara pamplinas sin más. Mi abuelo. Lo creí a pies juntillas cuando me dijo:

—Prometo mostrarte un portento que hizo suspirar a Julio César. Solo te pido a cambio que apagues el maldito cacharro y vengas conmigo.

Yo admiraba sin fisuras a César y a Billy el Niño, pero más admiraba a mi abuelo. Serían las nueve o las diez de la noche. Invierno. Hacía frío. No eran horas para que un niño saliera de casa. Mamá jamás lo habría permitido. Mucho menos en pijama y en zapatillas de paño. Pero mamá limpiaba en la cocina los restos de la cena, y mi padre, que trabajaba en un bar, aún no había acabado su turno. De ahí la voz de secreto de mi abuelo, que lo hacía a espaldas de mi madre.

Y creo que fue eso lo que excitó definitivamente mi curiosidad.

El abuelo abrió la puerta con sigilo, salió a la calle, se detuvo en medio del asfalto y me hizo señas con las manos, a modo de invitación.

Entonces vivíamos en el pueblo, en una casa grande, a pie de calle, ni se nos pasaba por la cabeza que un día, no muy lejano, acabaríamos apiñados en un pisito de la capital, en la cuarta planta de un bloque infame.

Largo, flaco y espiritual como un personaje del Greco, mi abuelo, plantado en mitad de la calle como un ciprés de carne, tenía, a mis ojos de niño, algo del embrujo de los personajes de fantasía. Yo, en pijama y zapatillas de paño, tiritaba de frío y desconcierto.

Con un gesto me ordenó que me colocara junto a él. Y allí que me fui.

Puso los largos y secos dedos de una mano en mi hombro mientras con la otra señaló hacia el cielo, hacia la luna, que se mostraba redonda y brillante como si allí arriba miles de pueblos y ciudades misteriosas celebraran sus propias ferias del quince de agosto.

—Ahí la tienes. La luna. Mírala bien porque, esa luna que tú y yo contemplamos esta noche como si cualquier cosa, la miró en su día Julio César y, antes que él, Alejandro Magno; y la contemplaron también los faraones, y antes que ellos la miraron los ojos de los hombres de las cavernas y, antes aún, la miraron los dinosaurios. Y esta noche la miramos tú y yo y le observamos las mismas pecas y la misma piel tersa y brillante que en su día le miraron nuestros antepasados. Piénsalo bien. No me digas que no es un misterio. No me digas que no da un poco de vértigo pensar que un día ni tú ni yo estaremos en este mundo y ella seguirá ahí arriba, tan pancha, y la seguirán mirando los hombres y las mujeres del futuro. Y así hasta el final de los tiempos. Dime si no es un prodigio maravilloso. ¿Qué te parece, hijo?

A mí, la verdad, parecer no me parecía gran cosa.

La luna, y punto.

Pero no dije nada. Por respeto. Y porque confiaba en que mi abuelo soltaría al fin algo de más sustancia. Pero pasaban los minutos y no decía nada. Miraba al cielo y me miraba a mí, como esperando que en algún momento yo descorchara mi entusiasmo.

—Abuelo, ¿se puede saber dónde está esa maravilla por la que me has hecho salir de casa? Pregunté con la premura y la irritación de mis nueve años.

Me miró mi abuelo con lástima. Señaló al cielo una vez más con su dedo salido de un cuadro místico y me dijo que si me parecía poca maravilla tener girando sobre mi cabeza una piedra de aquel tamaño sin que nunca acabara por caerme encima.

Era de noche. Un frío que pelaba. Por la tele estarían pasando tal vez una de romanos, y yo solo deseaba meterme de nuevo en casa y continuar con mi película. Mi abuelo, más listo que el hambre, me leyó el pensamiento.

—Corre a esconderte en tu ratonera, me dijo, decepcionado.

Y yo corrí. Me metí en casa. Encendí la tele. Mi abuelo se fue al patio a fumar, pero cuando pasó delante de mí meneó la cabeza y me dijo que el televisor acabaría por embotar mi capacidad de asombro y que eso es lo peor que le puede pasar a una persona, porque cuando los ojos se ciegan al asombro ya no somos más que tristes carcasas de hombres y de mujeres, y me preguntó si era eso en lo que tenía pensado convertirme, en un botarate.

No recuerdo qué contesté. Sí recuerdo el rostro de mi abuelo al atravesar el salón en dirección a su rincón de fumar. Más que el rostro, sus ojos. Su mirada. La tristeza de aquella mirada. El sutil y afilado brillo de la decepción.

Todas estas cosas las pensaba yo en el momento en que aquel tipo con rostro de boxeador sin fortuna me apuntaba las sienes con su revólver y me obligaba sin él saberlo a mirar la luna. Habrá quien diga que es raro que estando a un tris de que te vuelen los sesos te pongas a pensar en cosas así. Y tendría razón. Pero lo cierto es que nadie sabe a ciencia cierta qué puertas y qué resortes abrirá la memoria en los momentos cruciales.

A mí se me abrió esa.

Y la conclusión a la que llegué fue que aquel viejo capítulo en que mi abuelo me mostró un portento y yo no vi más que la luna, siendo un pequeño paso como hombre, fue un gran paso en mi carrera para convertirme en este magnífico ejemplar de botarate que he acabado siendo, un magnífico ejemplar de botarate ejerciendo de botarate contumaz y acérrimo durante largos años de mi vida. En el brillo acuoso de los ojos desencantados de mi abuelo intuí que había decepcionado a alguien que en verdad me importaba.

Fue la primera vez.

Luego ha sido un no parar.

2

Yo me llamo Montana. Tengo cincuenta y cinco años. Soy camarero, como mi padre. Y, como mi padre, me llamo Andrés, aunque hace años que nadie me llama con ese nombre. Todos Montana esto o Montana lo otro. Hasta Andrea, mi mujer, no me llama de otro modo. Montana. La historia de este mote es antigua, breve e insustancial, como casi todos los episodios escolares. Y, como casi todos los episodios escolares, pegajoso como un mal olor. Imposible de quitar. Pero no voy a contar la historia del apodo. No viene al caso. Lo que importa a este relato es que respondo al nombre de Montana. Y que soy camarero.

O lo fui, para ser exactos.

Durante más de veinticinco años, que se dice pronto, trabajé como camarero en el restaurante Casa Emilio, un restaurante tradicional en un barrio obrero de Madrid. Menú diario. Parroquia estable. Algún que otro turista ocasional. Sueldo fijo. Dos pagas extras. Una vida relativamente cómoda. Emilio en la barra, su mujer, Juani, y un pinche, en la cocina, y yo en las mesas. Sencillo. Y funcional. Con este organigrama y esa misma estrategia laboral hemos ido tirando un año y otro año, una crisis tras otra.

Hasta la pandemia del COVID.

Ahí se torcieron las cosas.

El alquiler del local, la subida de la factura de la luz, el autónomo, la seguridad social del pinche y la mía, a los que siempre había que sumar un puñado de gastos inesperados e ineludibles, hacía difícil llegar a fin de mes. Y, por si fuera poco, el Covid vino a joderlo todo. El fantasma del cierre empezó a colarse cada mañana en el bar en el mismo momento en que abríamos las puertas, como un cliente cargante. Emilio y yo hablamos al respecto. Salió la palabra cierre a relucir y yo me eché a temblar. Traté de disuadirlo. Piénsalo bien, Emilio. Mis argumentos, para ser sinceros, tenían más de sentimentales que de pragmáticos. Pero las cuentas que me mostró Emilio eran inapelables. Y llegó el día terrible.

—Hasta aquí hemos llegado, Montana. Esto no da más de sí.

Me extendió un talón con el finiquito, un apretón de manos y si te he visto no me acuerdo. A buscar un curro nuevo. A mi edad.

Yo, aún no me explico por qué, no dije nada del despido en casa. Supongo que necesitaba reposar las ideas. Tragarme el orgullo. Disimular la vergüenza. Admitir que me habían puesto de patitas en la calle, a mis años, era un bolindre difícil de digerir. El caso es que durante días mantuve mi horario habitual. Me levantaba el primero. Bebía un sorbo de café a toda prisa. Salía de casa con el primer rayo de sol y regresaba a las diez o las once de la noche, como si no pasara nada. Imperturbable. Con la misma sonrisa boba y las mismas anécdotas bobas con las que estuve volviendo a casa el último cuarto de siglo. Solo que ahora, la sonrisa y las anécdotas eran falsas, de cartón piedra.

Me pasaba los días vagando por la ciudad como un perro sin amo. Entraba en cualquier estación de metro, bajaba en la parada que me daba la gana y recorría los bares que me salían al paso ofreciéndome como camarero con dilatada experiencia y nivel medio de inglés. Lo del inglés es tan falso como lo de las anécdotas y la sonrisa, pero yo lo decía igual, por si colaba.

No coló nunca. Nunca. Ni una sola vez. Ya te llamaremos si surge algo. Esa fue lo frase más amable que llegué a escuchar. Ahí aprendí que el fracaso tiene peso y sabor y que te hace arrastrar los pies al caminar y te apelmaza la lengua. La sensación de fracaso es una terrible resaca sin haber pasado antes por el regocijo de la borrachera.

Pero no me di por vencido.

Seguí insistiendo en mi búsqueda una y otra vez. Un día y otro día. Y siempre obtuve la misma respuesta. O no necesitaban a nadie o necesitaban a alguien más joven o necesitaban a alguien que se apañara con la mitad del salario base. Toda una vida de trabajo y sacrificio y esto era lo que la vida me devolvía. La nada más completa. El fracaso más rotundo. Podría haberme ido a casa, abrir la puerta y confesarme ante Andrea y mi hijo. Decirles, mirad, esto soy, en esto me han convertido. Pero me moría de vergüenza solo de pensarlo. Me sentía tan frustrado, tan inútil, tan botarate, que no me apetecía sino deambular por las calles pateando piedras, como un niño que hace novillos. Encontré cierto consuelo en dejar que la conmiseración se desbordase, darle larga a mi pena y llorar como no lloraba desde aquel día en que mi padre nos dijo que hacíamos las maletas, lo dejábamos todo atrás, casa, colegio, amigos, y partíamos para Madrid.

Uno de esos días en que me dejé vencer por la llorera me dieron las nueve de la noche y decidí tomarme un respiro antes de volver a casa. Si me hubiera presentado ante Andrea con los ojos hinchados y rojos, no habría tenido valor para seguir mintiendo. De modo que me puse a dar vueltas por el Retiro como un lunático. Las manos en los bolsillos, la cabeza hundida en los hombros, la mirada clavada en el suelo, y los pies como los de un autómata, a su aire, sin que mi cabeza interviniera en el rumbo.

Pasaron las horas sin saber cómo.

Cuando quise darme cuenta, habían desaparecido del parque los ciclistas, los músicos callejeros, las mamás con los niños, los recogedores de cacas de perros. Solo quedaban algunas parejas de novios rechupeteándose los tuétanos entre los arbustos. A mí los novios ni me molestaban ni me dejaban de molestar, sus besos y sus lamidas me sonaban como cuando en Casa Emilio los clientes sorbían caracoles, pero de pronto reparé en mi propia imagen y me invadió el pudor. Debía tener toda la facha de uno de esos babosos que van a los parques de tapadillo a mirar a las parejas meterse mano.

Aceleré el paso, dispuesto a salir del parque y regresar a casa.

Ya se me ocurriría algo que decirle a Andrea.

Pero, mira por dónde, justo cuando pasaba delante de un banco, se levantó el tipo que lo ocupaba y a mí se me ocurrió que el lugar era idóneo para gastar un rato pensando en mis cosas. Lejos de cualquier farola, medio oculto entre los arbustos, convertía en invisible al que se atreviera a posar su culo sobre sus frías tablas. Y como a mí el frío no me importaba, me senté en el banco. La hora, la oscuridad, el viento sobre los árboles, el fanal de neblina alrededor de las farolas lejanas, todo invitaba a la melancolía.

Y mi cabeza aceptó la invitación.

Mil pensamientos tristes vinieron a mí como palomas a los pies de un jubilado. Mi autocompasión se desbordó y comencé de nuevo a llorar a moco tendido. Y el caso es que me vino bien. Sentía mi pecho liberarse, como si alguien hubiera abierto una compuerta que antes lo obstruía, dificultándome el respirar. Eché el tronco hacia adelante, apoyé los codos en las rodillas y dejé descansar la cabeza sobre las palmas de las manos para que la pena saliera mejor. Las lágrimas me llevaban a un dulcísimo sopor y sentía eso que los yoguis y los monitores de Pilates dicen sentir cuando en su cabeza se detiene la rueda del pensamiento. El mío en aquel instante no es que estuviera detenido, era más bien como una piedra que se fuera hundiendo lentamente en las calmas aguas de un lago. Una sensación extraña, dulce y nueva.

Tan concentrado estaba en esta sensación rara, apacible y novedosa que por poco me caigo del susto al escuchar a mi lado una voz de hombre:

—Disculpa el retraso. El puto coche me ha vuelto a dejar tirado. He tenido que pillar un taxi. Encima, el taxista era un paquistaní con el que no había manera de entenderse.

A pesar de las horas, de la oscuridad del rincón y de que yo no conocía de nada a aquel tipo, saqué las gafas de sol y me las coloqué de modo que aquel desconocido no me viera los ojos anegados de lágrimas. Lo hice sin pensar, porque, a decir verdad, bien poco era lo que habría podido ver, por más empeño que hubiera puesto. Tanta era la negrura de aquel escondrijo. Yo lo miré a él un instante y, entre las lágrimas, las gafas y la noche, solo vi un rostro flaco y desdibujado sobre un cuerpo seco y más desdibujado aún.

El hombre portaba una cartera de cuero entre las manos. La puso en el banco, en medio de los dos. Con dos dedos la empujó hacia mí.

—Ahí tienes. Lo convenido.

Yo le iba a decir que se estaba equivocando, que entre él y yo no había convenio alguno y que, evidentemente, yo no era la persona por la que él me estaba tomando. Eso es exactamente lo que debía haberle dicho, pero tenía el pecho congestionado por el llanto y la cabeza confusa por el susto y la sorpresa. Y tampoco es que el desconocido me diera tiempo a recomponerme. Se levantó de un salto y se sacudió las traseras de los pantalones con dos sonoros manotazos que asustó a las vecinas palomas.

—Ahí van los quinientos mil euros. El día que vea en los papeles que todo ha salido según lo apalabrado, volvemos a vernos aquí, en el mismo sitio y a la misma hora, y recibirás la otra mitad.

Se dio la vuelta y desapareció.

Durante varios minutos permanecí allí sentado, mirando la cartera, sin tocarla, aguardando a que el tipo volviera y dijera, usted perdone, me he equivocado, lo he tomado por otra persona. Pero no volvió. Ni salió de entre los arbustos una cámara oculta y un locutor sonriente con un micro pegado a la boca gritando, inocente, inocente. Solo la noche, el mismo silencio y la misma neblina de antes. Poco a poco me fui rehaciendo.

Cogí la cartera.

La palpé.

Me daba cosa abrirla. Un mal presentimiento. O un buen pálpito, según se mire. El caso, y por abreviar, es que, a pesar de lo que me decía el sentido común, agarré fuerte el asa del maletín y, espoleado por no sé qué mal impulso, eché a correr en dirección contraria a la que había tomado el tipo.

Paré un taxi. No me atrevía a meterme en el metro. Me habría parecido que todo el mundo percibiría mi desconcierto y que en cuanto me vieran se podría la multitud a gritar a coro: al ladrón, al ladrón. En el pecho me latía el corazón como si el ritmo lo marcase el bombo de una banda punki. Incluso en el taxi me lo pensé dos veces antes de abrir el maletín, que era, por cierto, una de esas carteras de cuero marrón con asa y correa larga y cierre a presión de metal, muy elegante, como las que he visto algunas veces usar a los ejecutivos de postín.

Algo me decía que si presionaba aquel cierre metálico estaba cruzando mi Rubicón y ya no habría vuelta atrás en lo que sea que me estuviera metiendo. La curiosidad era un león peleando contra la pantera del miedo.

Y ganó el león.

Y abrí la dichosa cartera.

Dentro había una buena montonera de fajos de billetes de cincuenta euros, bien arracimados. El desconocido no mentía. Ahí estaban los quinientos mil euros.

Y una foto.

Una mujer de unos veinticinco o treinta años, rubia, pelo corto, abrazada a dos niños gemelos que sacaban la lengua a la cámara con el gesto gamberro de los diez años.

3

Ni sé cómo llegué a casa. Abrí la puerta con el sigilo de un ladrón consumado. Y con más sigilo escurrí el maletín bajo el mueble de la entrada, ese en el que suelo arrojar las llaves y el correo.

Andrea me esperaba en la cocina, con los vasos y platos de la cena sobre la mesa. Excusé el retraso diciéndole que hubo avería en el restaurante. Ella, que es una bendita, se lo tragó a la primera.

—Tienes mala cara —me dijo.

—Llevo todo el día con el vientre revuelto.

Mentí.

Y esa mentira sin importancia me sirvió de excusa para meterme en el aseo y tomarme un tiempo en pensar en un escondite más adecuado para el maletín, al menos hasta que tuviera claro qué iba a hacer con el dinero.

Andrea dijo que me esperaba en la cama. Ya se había tomado su dosis diaria de lorazepán y se le caían los párpados.

Salí del baño. Fui a la cocina. Saqué una bolsa de plástico, metí dentro el dinero y lo escondí en un cajón del mueble del salón donde suelo guardar mis cosas: un disco duro externo, facturas, viejos cargadores de móviles, dibujos de cuando nuestro Fernandito era pequeño, algunos ejemplares del Marca con un significado especial para mí, la portada con los cuatro goles de Butragueño a Dinamarca, la paliza de España a Malta, algunos ejemplares con las últimas Copas de Europa del Real Madrid, el último partido de Raúl en el Bernabéu.

Cosas mías.

Nunca he visto a Andrea meter las manos en ese cajón. Con la foto lo pensé mejor. Después de varias tentativas, la introduje entre las páginas de una vieja biblia que llevaba años sin abrirse.

De momento, di por resuelta la operación camuflaje y me fui a la cama.

Andrea ya roncaba.

Yo tenía la cabeza llena de ideas excéntricas y ruidosas que me impedían conciliar el sueño. Traté de repasar por lo menudo, palabra a palabra, cuanto me había dicho el desconocido del maletín, por si se me estaba escapando algo significativo.

La verdad es que tampoco había mucho que recordar. El hombre fue claro y conciso. Me daría otro medio millón a cambio de hacer algo que debía salir en los papeles y que sin duda tenía relación con la rubia de los gemelos.

No soy ningún ingenuo. Me puse en lo peor. Pero deseché la idea por escabrosa. Traté de centrarme en el dinero.

¿Qué debía hacer con él? Devolverlo era una posibilidad. pero ¿a quién? ¿A la policía? ¿Volver al Retiro, dejarlo en el mismo banco y olvidarme del asunto? ¿Quedármelo yo y rehacer mi vida? No podía tomarme el asunto a la ligera. ¿No serían, acaso, los quinientos mil euros caídos del cielo, una oportunidad que me estaba dando la vida para compensarme por estos sinsabores últimos y no sería yo un redomado imbécil si me deshacía de ellos?

A cada pregunta le seguía una minuciosa respuesta, con sus pros y sus contras muy bien hilvanados y, por lo general, todas me llevaban a la misma amonestación: qué coño estás haciendo, Montana; mira que te estás metiendo en un lío de dos pares de narices del que no vas a ser capaz de salir.

Tenía la cabeza como un abrevadero de patos. Mil ideas chapoteando a la vez, graznando incongruencias, ninguna de las cuales me traía la paz ni el sueño.

Me vino de pronto a la cabeza un reportaje que había visto recientemente por televisión y que trataba de unos judíos ultraortodoxos llamados, en su lengua, los jaredíes. Una secta que desde hace dos siglos festeja el año nuevo judío ante la tumba de un rabino llamado Najman de Breslev. Carecería de importancia la anécdota si no fuera porque la tumba del rabino está en Uman, en pleno corazón de Ucrania, que, por si a alguien se le ha olvidado, es un país en el que los rusos, un día sí y al otro también, dejan caer bombas como panes.

Pues bien, en el aeropuerto de Jerusalén, un periodista le preguntaba a uno de estos peregrinos si no le daban miedo las bombas, y el hombre, muy barbudo y muy sonriente, confesó que le tenía más miedo a Dios que a las bombas. Esa respuesta me dejó turulato. Un Dios que le concediera más importancia al cumplimento de un rito ridículo que a la propia vida sería un Dios que a mí me merecería muy poco respeto. Sin embargo, y esto lo digo con la mano en el corazón, me fascina la capacidad de algunas —muchas, muchísimas— personas para aferrarse a un rito, una idea, una religión, lo que sea con tal de darle sentido a su vida. Yo no soy ninguna lumbrera, para qué engañarnos, pero me maravillaba que esos jaredíes, como tanta gente, confiaran ciegamente en que después de esta vida haya otra en la que nos aguarde un Dios y un cielo donde nos reciba el rabino Najman para amenizarnos la eternidad.

Eso es mucho confiar.

Si yo tuviera esa convicción, si pudiera creerme a pie juntillas cuando dice el cura en misa, pues podría aceptar que ni una simple hoja se mueve sin su permiso; con lo cual, mucho menos, diez mil billetes de cincuenta, digo yo. Es decir, que si lo billetes habían llegado a mí debían ser bajo el conocimiento del Señor. Siguiendo la lógica de los jaredies yo ya no tendría dudas en que habría sido Dios quien puso el maletín con los quinientos mil euros en mi camino. Y no habría más que hablar. Resueltas todas mis dudas. Contestadas todas las cuestiones. Pero, claro, yo no soy un jaradi, solo un pobre camarero en desempleo, fruto de la desengañada sociedad del bienestar, y me cuesta trabajo confiar en promesas que no vengan respaldadas por un contrato sellado y firmado por todas las partes implicadas en los laterales de cada folio.

Y eso me llevaba de nuevo a la casilla de salida: ¿qué hacer con el dinero?

Dándole vueltas a esta idea, sin alcanzar acuerdo ni descanso, me sorprendió el amanecer.

Me levanté a las ocho y media, como cada día, solo que más ojeroso y fatigado. Andrea, también como cada día, se quedó en cama un rato más.

Mientras tomaba el primer café, yo no podía apartar la vista del cajón en el que había escondido el dinero. Me entró el pánico. Temía que Andrea, por un casual, le diera, justamente aquel día, por enredar allí. A ver cómo le explicaba yo la aventura. Aún no estaba preparado para enfrentarme a un tercer grado. Decidí vaciar de nuevo la bolsa de plástico en el maletín y salir de casa a toda prisa, a fingir que me iba a Casa Emilio.

Y eso hice.

En cuanto puse el pie en la calle, maletín en mano, saqué el teléfono y marqué el número de Genaro.

Genaro es mi mejor amigo. En realidad, mi único amigo. Es repartidor de cervezas. Siempre ha sido, que yo sepa, repartidor de cervezas, lo cual, en cierto sentido, es el lazo que ató nuestra amistad. Nos conocimos cuando yo empecé en esto de la hostelería, va ya para treinta y tantos años. Lo quiero como a un hermano. A pesar de lo cual, no me ciega la amistad hasta el punto de negar que Genaro no ha llegado muy lejos en la vida, las cosas como son. Pero también es cierto que Genaro tiene un coco que ya lo quisiera para sí más de un catedrático. Apenas bebe, no fuma y es el único de la parroquia que jamás mira la pantalla durante las retransmisiones de fútbol. Ni en los mundiales. Solo le conozco el vicio de leer libracos sin misterios, sin asesinatos y sin estampas. En fin, que es un tipo raro, pero con ingenio.

Yo lo suponía ya en el camión de reparto, pero resultó que aquel era su día de descanso. Le dije que tenía que hablar con él. No, no podía ser en un bar. Necesitaba algo más íntimo. Sí, es algo serio, la hostia de serio. Me dijo que pillara unos churros y subiera a su casa.

Acepté.

Genaro vive en el viejo piso de la calle del Barco que heredó de su madre. Genaro vive solo. Sin esposa, sin perros, sin macetas. Solo. Otra de sus rarezas.

Que Genaro viva solo es decisión personal. Porque, si hay algo que le sobre a este hombre, son novias y proposiciones. Genaro, que ya ronda también los cincuenta, se mantiene, el puñetero, flexible y apuesto, con su abundante pelo gris y su sempiterna barba de dos días, que no sé cómo lo hace para que ni avance ni recule y se mantenga con esa apariencia de césped recién cortado. Andrea dice que se da un aire a George Clooney, pero en guapo. Más guapo, quiero decir. Quizás por eso mismo, por ese halo de galán de cine que le permite tener una agenda que ni mengua ni desfallece, es por lo que no ha mantenido ninguna relación seria y estable. Yo le digo que es porque no se ha enamorado de verdad. Él me dice que qué sabré yo; que, a su modo, él se enamora de cada una con la que se encama, solo que se separa de ellas antes de que se les aguachine el amor.

Con estas cosas, claro, me desarma.

Cuando llegué con los churros ya tenía él dispuestas dos tazas de café sobre la mesa del comedor.

—A ver, qué es eso tan importante que tienes que contarme.

Reparé en que no había preparado un preámbulo ni sabía cómo encarar el asunto. Me parecía que si lo abordaba directamente le restaría seriedad o que mi torpe facundia iba a resultar descolorida e imprecisa; insuficiente, en cualquier caso, para darle la intensidad y el justo tono dramático que requería la situación. Me sentaría fatal que se lo tomara a chufla y me tachara de paranoico.

Peor aún, de botarate.

Hice un preámbulo modesto, sin pretensiones. Comencé hablando del tiempo, de la guerra de Ucrania, de esto y de lo otro. Hasta que cogí el toro por los cuernos.

—¿Te has planteado alguna vez —le dije— qué harías si de pronto te vieras con, no sé, cien mil euros, por poner una cifra?

Genaro mojó un churro en el café y me miró con ese gesto tan suyo de arquear las cejas, torcer la boca en una media sonrisa a la vez que echa un sorbo de aire por la nariz, un gesto que tiene la habilidad de sacarme de quicio porque lo conozco bien y sé que es una callada manifestación de su autosuficiencia y de su superioridad intelectual que me toca los huevos.

—Tampoco es que sea una cifra como para tirar cohetes.

—Vale, pues pongamos doscientos mil euros.

—Montana, perdona que te diga, pero es que eres pobre hasta para soñar.

—Es solo un suponer, Genaro; un maldito juego. Pero, está bien, olvida los doscientos mil. Imagina, entonces, que te caen del cielo quinientos mil euros.

—Esa es ya una cifra interesante.

—¿Quieres responder de una vez a lo que se te pregunta?

—A ver, ¿quinientos mil euros, has dicho?

—Exacto.

—¿Son un premio de la lotería?

—No tiene por qué.

—¿Una herencia?

—No, nada de herencias.

—¿Un premio literario?

—¿Un qué...? ¿A qué viene eso? ¿Cómo íbamos tú o yo a ganar un premio literario?

—No sé, me has dicho que imagine.

—Pues imagina algo más sencillo, coño, y no me vuelvas loco. Imagina, por ejemplo, que te lo has encontrado en un parque.

—¿Y eso es más sencillo? ¿Encontrar medio quilo en un parque? No sé en qué mundo vives tú, pero en el mío la gente no va por ahí...

—Maldita sea, Genaro, ¿qué más da de dónde vengan? Tú solo tienes que imaginar que de repente tienes en tu bolsillo quinientos mil euros. Limítate a eso, y no me jodas.

—Es que es importante saber la procedencia. Hay que pensar en Hacienda. Los impuestos, no sé si te suena la palabra. No es lo mismo que te toque una lotería que recibir una herencia o que hayas ganado el premio Planeta, por decir algo. El tipo de gravamen es muy diferente para cada caso, no sé si me explico.

Se explicaba bien, pero me tocó tanto las pelotas que me dejé de rodeos y le conté todo con pelos y señales, desde el instante en que llegué al Retiro forrado en penas y salí de él forrado en euros. Para ratificar cuanto le decía, abrí el maletín y dejé caer los fajos de billetes sobre la mesa. Algunos fueron a parar al suelo. Genaro y yo los miramos, sobre todo a los que estaban en el suelo, como harían dos niños alucinados ante un truco de magia. Que aquella pasta debía tener una procedencia sucia y turbia era algo en lo que los dos estuvimos pronto de acuerdo.

Las discrepancias surgieron cuando hablamos del uso que habría que darle al dinero.

Yo confesé estar hecho un lío.

Genaro, con mucho aplomo, cogió los fajos de billetes del suelo y los fue poniendo sobre la mesa, uno encima del otro, muy ordenaditos, sacudiéndoles antes los laterales para corregir los salientes. Abusando mucho del silencio dramático. Me estaba poniendo de los nervios.

—Y dices que no pudiste verle la cara.

—Estaba oscuro como boca de lobo.

—¿Crees que reconocerías a ese tipo si cualquier día de estos lo vieras entrar en Casa Emilio?

—Te recuerdo, Genaro, que Casa Emilio ha cerrado.

—Es un poner, coño, Montana. No seas tiquismiquis. En Casa Emilio, en la calle, en la cola del supermercado, ¿lo reconocerías?

—No. Ya te he dicho que fueron un par de minutos. No más. Y estaba tan oscuro que me costaba ver mis propias manos.

—¿Y crees que él te reconocería a ti?

—Lo dudo.

—Entonces no entiendo cuál es el problema. Si ni lo conoces tú a él ni hay modo de que él te reconozca a ti, ya me dirás de qué manera alguien puede reclamarte nada.

—Ya. Pero hay algo que no me gusta. Tengo una sensación rara. Un mal presentimiento.

—Tú lo que estás es cagado de miedo.

—Eso también. ¿Es que tú no lo estarías?

—No lo sé. Nunca he ido a llorar al Retiro.

—Mira, si no vamos a hablar en serio, me voy y ya decidiré yo solito qué leches hago con el medio quilo.

Podíamos permitirnos ser insolentes el uno con el otro porque ese es uno de los privilegios de la amistad, que es como si te dotara de un chaleco antibalas, aguanta los impactos sin dañar órganos vitales.

Genaro se levantó y fue a la cocina a por más café. Cuando volvía con la cafetera italiana en la mano me preguntó en su tono más pedantón que si alguna vez había oído hablar del caso Dan Quayle. Como me conozco el paño de su pedantería, yo encogí los hombros, que era mi forma de preguntarle a cuento de qué venía ahora hacer alardes.

Llenó de nuevo las dos tazas de café, solo para ignorarme.

—Escúchame con atención, Montana, porque igual sacas algo de provecho de la experiencia ajena. Y no te hablo de la experiencia de un cualquiera. Te hablo de un vicepresidente de los Estados Unidos de América. Ahí es nada. Me refiero a Dan Quayle, vicepresidente durante el mandato de George Bush padre. Un tipo que tenía todas las papeletas para haber sido el siguiente presidente de los Estados Unidos.

Silencio dramático.

Yo aproveché para darle bocado a un churro.

—¿Sabes por qué no llegó a serlo? —preguntó Genaro.

Yo dije que no con un golpe de cabeza.

—Pues por su culpa, respondió Genaro. Verás. La cosa ocurrió de la siguiente manera. Corría el año noventa y uno. Plena campaña electoral. Resulta que al señor Dan Quayle le tocó visitar un colegio en New Jersey, donde celebraban ese día un concurso de deletreo. No sé si sabes en qué consiste.

—Claro que sé, he visto películas. No soy tan lerdo.

—Entonces me ahorro explicaciones.

—Ya veremos.

—El caso es que en el colegio le ofrecieron al tal Quayle una serie de cartas con una palabra escrita en cada una de ellas. Leyó una. Patata, que en inglés es «potato». La prueba consiste en que él dice la palabra y algún alumno tiene que ofrecerse a escribirla correctamente en el encerado.

—Sabía que al final me encasquetabas la explicación.

—Solo por si no te quedaba claro. En fin, a la que vamos; la cuestión es que un alumno levantó la mano, salió a la pizarra y escribió «potato». Hasta ahí, todo perfecto. Pues bien, y aquí viene el punto que a ti te interesa escuchar y en el que debes aplicarte el cuento. Resulta que al señor vicepresidente de los Estados Unidos de América, ante los ojos de todo el mundo, no se le ocurre otra cosa que abrir la bocaza y decir «vaya, por poco lo consigues», le quitó de las manos al crío la tiza y añadió una e al final de la palabra. «Potatoe», escribió el muy cretino. Y de este modo, él solito, se descubrió ante los ojos de todo el país como un auténtico ramplón, un genuino y un completo ignorante. Por supuesto, ahí acabó su carrera política.

Cuando acabó de contar la historia, Genaro tomó un churro, lo mojó en el café y se lo llevó a la boca.

Silencio dramático.

Un largo silencio dramático.

—Y bien, querido Montana, ¿qué lección sacamos de la aventura del bueno del vicepresidente Dan Quayle?

Yo, irritado con su chulería, volví a encogerme de hombros. Genaro dejó la mitad del churro sobre la mesa.

—Pues lo que deberías aprender es que, la mayoría de las veces, nos metemos en un lodazal por la estúpida manía de no mantener la boquita cerrada. Que es justo lo que te va a pasar a ti si vas por ahí cacareando el asunto ese de los billetes que te han caído del cielo. Hazme caso. Haz lo que tenía que haber hecho el vicepresidente Quayle. Cierra el puto pico.

Estuvimos hablando un buen rato más. Respecto de lo del dinero, a pesar de las enseñanzas del vicepresidente Quayle, no llegamos a ninguna solución, pero al menos me dio cosas en las que pensar. Tengo que admitir que lo del vicepresidente Quayle me dejó tocado. Fue una buena historia, las cosas como son. Y de esas Genaro tiene como para aburrir. Yo solo me acordaba de la de los jaredies y estuve unos minutos buscando la forma de encasquetársela, aunque fuera con calzador, para demostrarle que yo también tengo mi cultura y mis recursos intelectuales. Pero no encontré la manera. Y, para cuando quise reaccionar, la conversación había tomado otros derroteros. Al final de la tarde recogí los billetes y me despedí de Genaro con un apretón de manos. Me dijo que le parecía una locura ir por ahí con esa cantidad de dinero en un maletín, que lo prudente sería dejarlo en lugar seguro. Alquilar una caja de seguridad, eso me recomendó. Y no le faltaba razón, pero, por algún motivo, yo necesitaba tener al maletín y al dinero cerca.

Le dije que lo llamaría en cuanto tomara una decisión.

Salí dispuesto a patearme la calle, pero esta vez no con la intención de mendigar trabajos de bar en bar, que, aunque aún no podía decir que el dinero fuera mío, algo de tranquilidad sí que me daba el tener medio millón pegado a los riñones.

Entonces me sonó el teléfono.

Mi hijo, Fernandito.

Fernandito sigue viviendo en casa. Con veintiocho años. La criatura no ha dado un palo al agua en su vida, que, visto desde cierto ángulo, también tiene su mérito. No es que sea mal muchacho, pero temo que hay algo en su diseño genético que lo incapacita para cualquier tarea medianamente útil. Durante un tiempo trabajó en una multinacional americana, como él la llamaba. En realidad era repartidor de pizzas a domicilio. Algo es algo, aunque Andrea y yo temíamos que, con el salario que le pagaban, íbamos a seguir por mucho tiempo sin experimentar eso que los psicólogos llaman *el síndrome del nido vacío*.

—Hola, hijo —contesté al teléfono.

—¿Qué coño le has hecho a mamá?

— Frena un poco, Fernandito, que te pasas tres pueblos. ¿A qué viene ese tono grosero?

—He llegado a casa y me encuentro a mamá llorando. Y esta vez no es mía la culpa.

—¿Mamá? ¿De qué me estás hablando, hijo? ¿Qué le pasa a mamá?

—Tú sabrás. A mí no me dice nada. Pero no para de llorar. Sea lo que sea que hayas hecho, esta vez la has jodido bien, papá.

Eran las ocho y media de la noche. Aún me quedaba hora y media para mantener mi mentira. ¿O la habría descubierto ya Andrea? ¿Por qué otro motivo podría estar llorando? ¿Merecía la pena seguir vagando por las calles como un idiota amarrado a un maletín repleto de dinero? Con el corazón en un puño, me fui a casa.

4

Fernandito me recibió sentado en el sofá. La tele encendida. A todo volumen. Se levantó en cuanto sintió ruido de llaves en la puerta. Agarró el casco de la moto y, sin saludar siquiera, me soltó que tenía repartos pendientes y que no podía esperar más. Le pregunté por su madre. Llevaba encerrada en la habitación desde hacía dos horas. Mi hijo, desde el quicio de la puerta, me midió con la mirada y me dijo:

—Ya te vale.

Ni se molestó en apagar el televisor. En las noticias hablaban de un tipo que había entrado con un fusil en un centro de los Testigos de Jehová en Hamburgo y había matado a varias personas y herido a no sé cuántas. Menudo día, pensé yo. El que mi llegada a casa coincidiera con una noticia tan violenta, me pareció un mal augurio. Apagué el televisor. Dejé el maletín encima de la mesa, junto al mando a distancia, y me fui al dormitorio.

Andrea estaba echada sobre la cama, sin apartar el cobertor, completamente vestida y con las zapatillas puestas. Mala, muy mala señal. Tenía el rostro vuelto hacia la pared, lo cual no impedía que yo escuchase su respiración entrecortada por el llanto. Me senté a su lado. Fui a cogerle la mano, pero ella la apartó con violencia.

—¿Qué ocurre, Andrea?

Silencio. El llanto recrudeció. Tenía un pañuelo de papel en la mano y se lo llevaba de vez en cuando a los ojos.

—¿Estás bien, cariño?

Ni pío. Un silencio de iglesia.

—Háblame, por favor. Dime qué te pasa.

—Lo que pasa es que eres un cabrón —dijo primero con un hilo de voz—. Un hijo de puta mentiroso, —ahí la voz fue cogiendo brío y altura.

—Cálmate, cariño, y hablemos las cosas de modo civilizado.

—Que se calme tu puta madre —dijo ya a grito pelado.

Nunca la había visto así, tan desatada. Eso me descolocó.

—No seas vulgar, Andrea, que no es tu estilo.

—Pues, mira, hablo como me sale del coño, ¿te parece buen estilo ese?

—Bueno, creo que será mejor que me vaya y que regrese cuando te hayas calmado.

Me separé un par de pasos y me disponía a irme al salón cuando Andrea se dio la vuelta, secó los lagrimales con el pañuelo, que ya empezaba a dar señales de necesitar reemplazo, y me dijo que lo sabía todo.

—Mi madre se ha enterado de que el restaurante está cerrado, y con un cartel de *se alquila* en la puerta.

Su madre, claro. Otro misterio de la naturaleza, que no sé cómo esa mujer, que se pasa el día viendo series turcas, encuentra tiempo para enterarse de todos los chismorreos de Madrid.

—He llamado a Emilio y me lo ha confirmado. No podía creérmelo. Dos semanas, Montana. Catorce días desde que cerró el restaurante y yo como una boba, sin enterarme.

—Verás, Andrea, yo…

—No me interrumpas. Eso no es todo. Ni siquiera es lo peor. Me he preguntado por qué no me has dicho nada, qué motivos podrías tener para ocultarme una cosa así. Luego he pensado en tu comportamiento. Tan raro. Levantarte por la mañana como si nada. Volver a la noche fingiendo que todo seguía igual. Dónde coño te has metido. Qué has estado haciendo todo ese tiempo. Esa idea me volvía loca. Mi instinto me decía que algo me estabas ocultado. Y entonces he revuelto toda la casa en busca de una prueba. Hasta que he dado con esto...

Sacó de debajo de la almohada la fotografía de la rubia con los dos gemelos y me la tiró a la cara

—¿Cómo has podido hacerme algo así? ¿Cómo has tenido los santos huevos de mirarme a la cara todos estos años y quedarte tan fresco? ¿Y Fernandito, es que no se te cae la cara de vergüenza cuando miras a tu hijo? ¿Qué pensará mi pobre niño cuando descubra qué clase de monstruo tiene por padre?

—Andrea, estás sacando las cosas de quicio.

—¡Qué tonta he sido! Casi treinta años estirando el céntimo; regateando las vacaciones, que llevamos veinte años veraneando a tu pueblo, a casa de tu primo, por ahorrarnos el hotel; remendando los vestidos; treinta años comprando fletán en vez de merluza, porque pensaba que el sueldo de mi marido no daba para más, y ahora resulta que el muy cabrón mantenía dos familias.

—¿Qué dices de dos familias?

—Ahora me explico por qué ya no me deseas.

—¿Pero tú te estás escuchando, Andreíta? ¿Quién ha dicho que no te deseo?

—Tú, con tu indiferencia. Antes hacíamos el amor a diario.

—Cariño, antes yo me peinaba con la carrera al medio y ahora se me juntan las entradas con las salidas. El tiempo todo lo muda, y puede que la pasión no sea la misma, pero yo te amo igual que el primer día. Más que el primer día.

—Y una mierda. Mentiroso.

—¿Te has vuelto loca, Andrea?

—Sí, eso tiene que ser. Debo de estar loca para no haberme dado cuenta antes de quién eres en realidad.

—Cierra la boca, mujer, y no te pongas más en evidencia. Te equivocas de cabo a rabo. Yo a esa señora no la conozco de nada.

—Claro, y por eso escondes una foto suya de hace treinta años.

—¿Treinta años?

—Al pronto me ha costado reconocerla, tan joven y tan delgada. Pero esos ojos, esa nariz…

—¿Conoces a esa mujer?

—¿Cómo has podido hacerme esto, Montana? ¿Qué clase de hombre eres? ¡Te miro y no sé quién eres!

—Calla un momento, por Dios, Andrea. Respóndeme, ¿conoces a esta mujer?

—Claro que la conozco, es el zorrón con el que mi marido…

—¡Ya está bien!

No aguantaba más. Me partía el alma ser el responsable de haber sacado al descubierto esa faceta de Andrea, tan poco honorable y tan bien guardada durante toda una vida. Salí de la habitación y volví con el maletín en una mano. Lo abrí y derramé los billetes sobre la cama. Andrea se apartó como si, en vez de billetes, llovieran cucarachas.

Cuando cayó el último fajo me miró con los ojos desorbitados.

—¿Quieres escucharme ahora?

Y por segunda vez en ese día conté mi historia de cabo a rabo, sin omitir detalles. Le pedí disculpas por no haber confiado en ella. Pero le juré por lo más sagrado que lo había hecho por dos motivos fundamentales: el primero y principal, porque soy un botarate, y el segundo, por no implicarla en algo que aún no tenía claro qué clase de consecuencias nos podía acarrear.

—¿Entonces me prometes que esa mujer y tú...?

—Andrea, por favor, no sigas por ahí.

—No, si el caso es que yo tenía mis dudas. Me extrañaba a mí que tú...

Le besé los ojos, húmedos aún de lágrimas y la conminé a que me dijera quién creía ella que era esa mujer, pues, a mi entender, se trataba de la pieza fundamental con la que podría completar el puzle.

—Me extraña que no la reconozcas. Sale casi a diario en la tele.

—Pues te juro que no sé de quién me hablas.

—Mírala bien. Es la concejala de Urbanismo y Medio Ambiente del Ayuntamiento.

Si me hubiera dicho que era la entrenadora del equipo femenino de fútbol del Madrid habría recordado su nombre y sus dos apellidos, que yo siempre he tenido buena cabeza para todo lo que concierne a mi equipo del alma, pero la política nunca fue lo mío. Ahora bien, si ella decía que era la concejala, es que debía ser la concejala. Además, ese detalle hacía cuadrar varias incógnitas.

—Por supuesto. Concejala. Todo tiene sentido —le dije—. Alguien me tomó por un sicario al que pagan por cargarse a esa mujer. Ese asesinato, por supuesto, saldrá en los papeles, y entonces el asesino recibirá el otro medio millón.

—Dios mío, Montana, es terrible.

—Sí, ya lo creo que lo es. Terrible.

—Tenemos que hacer algo.

—Mañana mismo iré al Ayuntamiento y hablaré con ella.

—Y yo que creí que tú...

—No pienses más en ello, Andrea. Ha sido culpa mía.

La confesión me liberó de una carga espantosa. Ahora me sentía más unido a mi mujer, limpio y etéreo como un seminarista recién comulgado. Andrea me abrazo y me dio un beso largo y cálido.

Esa noche hicimos el amor como no recordaba haberlo hecho en mucho tiempo, con ese ardor que solo se pone en las despedidas y en los reencuentros.

Caímos rendidos. Ni del lorazepán se acordó Andrea. Dormimos como dos benditos. Ella, porque debía de estar exhausta después de tantas horas de angustia y de derramar tantas lágrimas. Yo, porque, por primera vez en mucho, muchísimo tiempo, fui consciente de que al día siguiente no tenía que levantarme a trabajar ni a fingir que trabajaba. Por vez primera desde que tenía memoria, me había liberado de la tiranía del despertador.

Cuando abrí los ojos, Andrea ya no estaba en la cama. Eso no me había pasado desde que Fernandito renunció a los biberones.

4

Andrea y yo desayunamos en la cocina. A Fernandito, como decidimos no decirle nada del maletín ni de la foto, le contamos una milonga para justificar el número de la noche anterior. La verdad es que muy convencido, lo que se dice convencido, no quedó. Y eso que su madre y yo no parábamos de mirarnos, sonreírnos, hacernos arrumacos y acariciarnos las manos como dos novios primerizos, pero nada de eso pareció disipar en mi hijo la idea de que su padre era un capullo.

Una vez concluido el desayuno, me puse mi traje de chaqueta, anudé lo mejor que supe mi corbata, lustré bien mis zapatos, me perfumé como en día de fiesta y salí de casa dispuesto a tener una entrevista con la concejala. Andrea salió a despedirme al quicio de la puerta, como cuando entonces.

Al fin parecía que el embrollo se iba desmadejando y que todo tornaría a su ser. Y eso me sosegaba. El aire de la mañana me parecía más fresco y sano, los vecinos más simpáticos, el camión de la basura menos ruidoso. Ni dos manzanas llevaba recorridas cuando se me ocurrió llamar a Genaro. Le conté las novedades. Que si Andrea se había enterado. Que casi me cuesta el matrimonio la maldita foto. Que si ya había resuelto el enigma de la identidad de la mujer con los dos gemelos burlones.

Cuando le dije que se trataba de la concejala de Urbanismo y que me dirigía al Ayuntamiento a advertirla, Genaro puso el grito en el cielo. Me llamó pardillo, iluso, tonto baba. Me dijo que estaba cometiendo el error de mi vida, que pensara en el vicepresidente Quayle, y que me tomara algo de tiempo antes de dar un paso definitivo. Yo le dije que le agradecía el interés hacia mi persona, pero que no había nada que pensar y que la decisión estaba tomada.

—Allá tú —dijo Genaro—, hágase tu voluntad, pero antes tómate una caña conmigo. Lo hablamos. Y si sigues pensando en devolver el dinero, te monto en la furgoneta y yo mismo te dejo en la puerta del Ayuntamiento.

Somos amigos. Es casi como un hermano, ya lo he dicho antes. No podía negarle una caña. Qué menos. Quedamos en vernos en cuarenta y cinco minutos en un bar de la Glorieta de Bilbao, en cuya zona le quedaban unos repartos por hacer.

A la hora convenida, allí estaba yo, con mi corbata, mi perfume y mi maletín de cuero marrón repleto de billetes de cincuenta euros. Genaro llegó poco después, con su pelo gris y su barba de dos días y con ese aire de galán inmarcesible que dan ganas de mandarlo a la mierda.

Nos sentamos en un velador esquinado, lejos de oídos indiscretos.

—A ver, ¿qué es eso de que vas a confesarte con la concejala?

—Mi obligación, como comprenderás, es advertirla del peligro que corre.

—¿Y tú qué sabes el peligro que corre?

—Creo que está claro, ¿no?

—No para mí.

—Allá tú con tu conciencia. Yo sé cómo tengo que actuar conforme a la mía. Y si eso es todo lo que tienes que decirme, apura la caña y llévame al Ayuntamiento, como me habías prometido.

Genaro estuvo unos segundos dándole vueltas al palillo con el que acababa de zamparse un triángulo de tortilla de patatas, luego lo abandonó sobre el plato y me preguntó si había pensado en la posibilidad de que los tipos que pretendían matar a la concejala estuvieran vigilado el Ayuntamiento, estudiando a todos los que entraban y salían de la concejalía. Si había pensado en el peligro en el que me ponía a mí mismo y, sobre todo, en el que ponía a Andrea y a Fernandito si estos mafiosos me veían con el maletín y me reconocían como el tipo que les había escamoteado medio millón de euros. Si había pensado en la posibilidad de que las cámaras del Retiro hubieran grabado a un tipo saliendo del parque con un maletín en las manos y que ese video estuviera ya en poder de los mafiosos.

Y la verdad es que no, yo no había pensado en esas posibilidades.

Y, una vez pensadas, ya no tenía tan claro que fuera buena idea presentarme allí a cara descubierta, por muy buenas que fueran mis intenciones.

—¿Tú que propones?

—¿Me prometes no irritarte si te hago una pregunta que aparentemente no tiene nada que ver con maletines ni con concejalías?

Yo, que conozco bien a mi amigo Genaro, me maliciaba que se iba a andar con sus famosos rodeos antes de soltarme lo que fuera que tenía en la cabeza. Pero, precisamente por eso, porque lo conozco bien, sé que habría sido inútil negarse.

Le dije que adelante, que preguntara lo que quisiera, pero ligerito, que quería estar de vuelta a la hora de la comida para almorzar con Andrea.

—¿Has pensado alguna vez a qué miembro de tu cuerpo dedica más espacio tu cerebro?

—Mi cerebro no sé, pero casi podría apostar que sé a cuál dedica más el tuyo.

—Pues te equivocarías.

—Lo dudo.

—Inténtalo. Te apuesto lo que quieras a que no aciertas.

—Venga, Genaro, suelta ya lo que sea, que me impacientas.

—Al dedo pulgar de la mano.

Me puso las manos delante de los ojos y empezó a hacer tijeretas con los pulgares para ejemplificar su comentario. Le olían a perfume femenino, que ni sé cómo lo hace, después de toda la mañana descargando barriles de cerveza y tras zamparse dos triángulos de tortilla de patata.

—Fíjate. Los pulgares. Qué cosa tan sencilla, tan pequeña y, no obstante, en ellos se explica el milagro de la civilización.

—Vale. Lo entiendo. Los pulgares. Ahora dime qué tiene eso que ver con lo que estamos hablando.

—Todo.

—Genaro, querido, cada día me cuesta más trabajo seguirte.

—Seguramente, cuando te he hecho la pregunta, has pensado en la polla, como todo varón que se precie. Hay quien piensa también en la lengua, por aquello de que es la más dicharachera y movible. Pues, no. Es el pulgar oponible. Un pequeño y regordete miembro en el que casi nadie repara.

—¿Y?

—Pues que la mayoría de las veces nos ocurre con todos los problemas como con el pulgar. Se nos plantea una cuestión que nos parece la repanocha de compleja.

La rumiamos, le damos vueltas y vueltas sin llegar a parte alguna. Y resulta que la solución la tenemos delante y la obviamos porque nos parece pequeña, regordeta, vulgar, y nos empeñamos en imaginar soluciones complicadas e inútiles con las que solo conseguimos apartarnos de la meta y amargarnos la vida. Espero que entiendas que hablo en plural por deferencia hacia ti, porque te aseguro que a mí me pasa pocas veces.

—Ya.

—Amigo Montana, lo que trato de decirte es que te pica la nariz y tú estás tratando de rascarte con la polla en vez de hacer pinza con el dedo índice y el pulgar.

—En cristiano, Genaro, por lo que más quieras, que me levantas dolor de cabeza.

—A ver cómo te lo explico: convencer a esa mujer de que quieren matarla es un error, porque eso te pone en peligro a ti y a tu familia, amén de que lo más probable es que la señora te tome por un loco.

—¿Entonces?

—Lo que tenemos que hacer es convencer a los mafiosos de que está muerta.

El muy capullo lo había vuelto a hacer. Desarmarme con sus historias y sus rodeos y sus meandros.

—Desarrolla el tema.

—Piensa en ello. Si conseguimos apartarla de la circulación una temporada, una semana, unos quince días a lo sumo, los suficientes para que los periódicos la den por muerta, tú apareces en el Retiro a la hora estipulada, pillas el otro medio quilo, y adiós muy buenas.

—Para empezar, yo no vuelvo al Retiro ni atado, eso que vaya por delante. Por otro lado, ¿qué adelantamos con apartarla unos días? Tarde o temprano averiguarán que está viva y volverán a por ella.

—Eso ya no es asunto nuestro, Montana. Si la mafia le ha echado la cruz, esa mujer ya está muerta. Asúmelo. No hay nada que hacer. Finito. Se acabó. A la filmografía clásica me remito. Piensa en El Padrino. Si te la juran, se acabó. Lo único que a nosotros nos queda es impedir que ese dinero caiga en manos de un sicario sino en las nuestras, que sabremos darle un uso más honrado.

—Genaro, ¿tú te estás oyendo?

Silencio dramático.

Yo agarré el maletín, me levanté dispuesto a largarme, pero Genaro me atrapó por la manga. Me miró a los ojos. Serio. Muy serio. Si yo hubiera sido más avispado habría entrevisto en su mirada un rastro de desesperación que me podrían haber puesto en alerta y haberme ahorrado serios disgustos. Pero no soy tan avispado.

—Espera, Montana. Escucha lo que tengo que decirte. Déjame, al menos, que me explique.

—Si tu plan es que yo vuelva al Retiro, olvídalo, Genaro. Eso no va a ocurrir.

—Te prometo que no es eso.

Silencio dramático. En su mirada seguía habiendo aquel destello extraño que no fui capaz de descifrar. Volví a dejar el maletín en el suelo y a tomar asiento.

—Sé que voy a arrepentirme; pero qué remedio: adelante, suelta lo que tengas que decir.

5

Lo que Genaro vino a decirme es que a él no lo conocía ningún mafioso, ni había vuelto a pisar el Retiro desde que dejó de usar pantalones cortos, con lo cual no había temor a que su imagen apareciera en ningún video incriminatorio. Su plan consistía en que se ofrecía voluntario para hablar con la concejala y advertirle de que su vida corría peligro. De este modo, aunque los mafiosos estuvieran apostados a la puerta del ayuntamiento, jamás sospecharían de él. Ni el más avezado espía —palabras textuales— imaginaría que el inocente repartidor de cervezas guardaba relación con el robo de un maletín cargado de euros. Solo sería un ciudadano más pidiendo audiencia con la señora concejala de urbanismo. El maletín seguiría bajo mi custodia, porque no convenía pasear ese maletín delante de las cámaras de seguridad, que, de seguro, ya estaban siendo vigiladas por todos los gánster de la ciudad. En cuanto a lo de saciar la curiosidad de la concejala y demostrarle que lo del dinero no era una patraña, no había más que concertar una cita en algún lugar seguro, y allí ya habría ocasión de mostrarle el dinero y la fotografía que evidencia que unos matones le han puesto precio a su cabeza. Un precio bien goloso, por cierto.

Sin ser una maravilla, su plan me pareció más seguro y mejor trazado que el mío.

Di por asumido que el plan pasaba por una ducha previa y un cambiarse de ropa antes de ir a hablar con la concejala. Me equivoqué. Aseguró que no había tiempo para niñerías y que, además, el mono de trabajo y la barba descuidada le daban un toque de verismo a su historia, imprescindible para que todo saliera según lo convenido. Unos minutos más tarde estábamos los dos montados en el camión de reparto y en dirección a la concejalía. Las oficinas principales se encuentran en la calle Alcalá, que a esas horas estaba insufrible de tráfico. Aparcó en doble fila. Dejó las llaves puestas.

—Espera aquí y, si te pita algún petardo, mueves el camión.

A los diez o quince minutos, no más, regresó, se montó en la cabina y puso el motor en marcha sin soltar palabra. Por el tiempo que había tardado en ir y volver di por descontado que le habían negado el paso o que, como mucho, la secretaria le habría dado cita para dentro de dos meses, como nos sucede al común de los mortales. Pero el muy cretino disfrutaba estirando el silencio, recreándose en esos aires de James Bond que se gasta.

—Bueno, ¿me vas a decir de una vez qué ha pasado o tengo que hacer un curso de telepatía?

—He quedado con ella esta noche, para cenar.

—¿Qué? ¿Estás de coña?

Por la sonrisa que me lanzó entendí que no estaba de broma.

—Hoy, en mi casa, a las diez de la noche.

—¿Me quieres decir que conocías a esa mujer de antes y no me has dicho nada? ¡Serás cabrón!

Le dio un ataque de risa que por poco empotra el camión contra un contenedor de basura.

—Te prometo que es la primera vez en mi vida que he visto a esa señora.

—¿Me estás hablando serio?

—Absolutamente.

—¿Y cómo lo has hecho?

—Con tu mierda de mirada penetrante, no, desde luego.

Eso fue un golpe bajo. Una mala broma que me gastaba de vez en cuando Genaro cuando intentaba joderme. Y lo conseguía. Una broma que tiene su origen en mi natural disposición a la confidencia. Porque si yo hubiera mantenido la boca cerrada en su momento, ni él ni nadie tendrían por qué haber sabido lo de la mirada penetrante. Pero se lo conté en maldita la hora. Y bien que lo ha sabido él aprovechar desde entonces.

Y, ya puestos, quizás sea oportuno que desglose ahora, aunque sea por encima, el origen de la maldita broma.

Toda la sustancia del asunto estriba en que yo no soy Genaro. No tengo su barba blanca, su tipo de galán, sus ademanes de dandi, su verbo meloso y sus andares felinos. Yo nunca tuve buena mano para la seducción. Ni siquiera en los años primerizos, esos en los que la fealdad no existe, yo llegué a hacerme falsas ilusiones. Tenía espejos en casa. Sabía que no era ningún Adonis. Además, me faltaba verborrea. Confianza en mí mismo. Pero en algún momento alguien debió decirme que mi timidez le daba a mi sonrisa un aire elegante y, desde ese momento, siempre que trataba de agradar a una chica, ahí que desarmaba yo mi sonrisa tímida como quien desenfunda una Smith and Watson. En otra ocasión, alguien, sin duda del género femenino, señaló que mi mirada tenía un no sé qué exótico y penetrante que hacía soñar a ciertas mujeres con mundos apacibles y lejanos. Qué me fueron a decir. Sin pensármelo, incorporé de inmediato la mirada penetrante a mi exigua panoplia de galanteo. Y con esos dos galardones quedó redondeado y completo a perpetuidad mi repertorio de seducción. Mucha sonrisa tímida, mucha mirada penetrante. Ese era mi método y mi secreto. Cada vez que una chica linda entraba en Casa Emilio, ahí que desplegaba yo mi sonrisa tímida y clavaba en ella la mirada penetrante como quien clava una bandera o como quien hace vudú. Para ser sinceros, no siempre funcionó. En más de una ocasión me llegaron a preguntar que si me pasaba algo en los ojos. Pero funcionó la vez que importaba. Así fue como conocí a Andrea. Con el ardid de la mirada penetrante.

Este era mi gran secreto, hasta que se lo conté a Genaro en una noche de cañas y risas, y desde entonces lo usa para flagelarme. Como ahora, que acabo de preguntarle cómo diablos consigue que una mujer a la que acaba de conocer acepte una invitación para cenar, y nada menos que en su casa, en tan solo quince minutos.

—Con tu mierda de mirada penetrante, no, desde luego.

Un puyazo bien merecido. Por bocazas. Por preguntar obviedades. Por dudar de esa magia que le he visto desplegar infinidad de veces. Magia. No encuentro otra palabra para la fascinación que ejerce ese hombre en las mujeres. Es un don. Un súper poder, sin lugar a dudas mucho mejor, más útil, más deleitoso que el del hombre invisible o el del hombre de acero. En estas décadas que llevamos juntos le he visto hacer cosas realmente bárbaras, pero lo de la concejala me pareció algo supremo, de récord mundial de galanteo.

—¿Y ella aceptó ir a tu casa así, sin más?

—Sin más.

—¿En un cuarto de hora de charla?

—¿Qué quieres que te diga?

—Pues, ya que preguntas, dime, al menos, que habéis concretado el día y lugar en el que nos encontraremos para que yo le enseñe el maletín y la foto.

—A su tiempo, Montana, todo a su tiempo. Esta noche. Durante la cena.

En conclusión, quedamos en que él cenaría con la concejala y, en un ambiente distendido y de franca intimidad —son palabras suyas— le contaría lo que le tenía que contar y, entonces, y solo entonces, me llamaría a mí y yo me presentaría con el maletín para corroborar sus palabras. Una vez que estuvieran todos los datos sobre la mesa, que ella decidiera lo que más le convenía a su salud.

Ya en ese mismo momento me arrepentí de haberle participado mis cuitas, pero me presentaba la situación como hechos consumados y no quedaba otra que asumir.

Me dejó en la puerta de casa. Nos despedimos hasta la noche.

Andrea estaba en la cocina. La encontré más nerviosa de lo que en ella es habitual, pero quién se lo habría tomado en cuenta. De repente su marido se presentó en casa con un maletín repleto de dinero procedente de las mafias y con una historia de asesinatos. Como para no estar de los nervios. Yo mismo sentía cosquillear cada una de mis células y de mis nervios cada vez que lo pensaba. Y era en lo único que podía pensar.

Andrea me preguntó qué tal me había ido con la concejala y le conté todo, paso a paso. Me confesó que le parecía bien lo de no arriesgarme, y que cruzaba los dedos para que el «Clooney hispano» no metiera la pata y salváramos la vida de esa pobre mujer. Lo de salvar a la mujer lo decía poniendo en sus ojos y en su voz un qué sé yo de admiración que me hacía sentir como si la hubiera rescatado de un incendio.

Ya solo quedaba esperar a que las horas pasaran y Genaro cumpliera su palabra. Bien pensado faltaban unas horas de nada, pero a mí se mi hicieron eternas. La tarde pasó lentísima. Salí a caminar, miré la tele, me afeité dos veces, vacié un paquete de altramuces de medio quilo. Parecía que el reloj no avanzaba. A eso de las ocho y media le dije a Andrea que no aguantaba más, que la impaciencia me estaba matando. Que había decidido acercarme al barrio de Genaro, para estar cerca cuando él me llamase. Ella lo entendió. Solo me pidió que, por seguridad, y ya que tenía que cargar con el maletín y que hacía un frío del carajo y me aguardaba una larga espera, en lugar de ir en metro o en taxi, cogiera nuestro coche, con lo cual podría quedarme sentadito, escuchando la radio, hasta que Genaro diera señales de vida.

Le celebré la sugerencia.

Ni sé la de vueltas que di antes de encontrar aparcamiento en un sitio que me permitiera controlar el portón de la casa de Genaro, y en ese momento maldije la idea de salir en coche por Madrid. Pero luego, con el coche medianamente bien aparcadito, lo agradecí, porque, como había dicho Andrea, hacía una noche terrible.

A las diez y unos minutos, una señora picó en el timbre del portón de Genaro. Una mujer más bien rechoncha, reducida de estatura, cabello corto, teñido de un rubio escandaloso, zapatos de aguja y bolso de pitiminí, la falda dejaba al descubierto unas pantorrillas redondas como melocotones de buen año. Jamás habría reconocido en esa señora a la rubia de la foto. Pero ni por asomo soy yo el más indicado para criticar los estragos de la edad. Me limité a pensar: el pájaro está en el nido. Ya faltaba menos para recibir la llamada de Genaro y dar por resuelto este fastidioso enredo de maletines y mafiosos.

No había transcurrido ni un cuarto de hora cuando una moto de reparto se detuvo junto al portón. Un tipo con un cartón de pizza y unos refrescos picó en el timbre, se abrió la puerta y entró. Yo me froté los ojos. Habría jurado que era mi Fernandito. Aguardé a que saliera para abordarle. Pero pasaron diez minutos y allí no aparecía nadie. Quince minutos, y nada. Me dije que aquellos eran muchos minutos para un simple reparto. Bajé del coche y fui hasta el portón. Dudé entre pulsar el timbre de Genaro o pedirle a algún vecino que me abriera. Yo siempre he sido de mucho dudar. Temía que, si llamaba a Genaro, echase todo a perder. La incertidumbre me corroía las entrañas. Me hallaba a un tris de echarlo a cara y cruz cuando se abrió la puerta de la calle. Un hombre sacaba a pasear al perro. Benditos perros. Yo aproveché para colarme en el portón. Mi inquietud se hallaba lejos de haber desaparecido, pero al menos estaba al resguardo del frío. Algo había ganado.

Genaro vive en la cuarta planta y yo, en mi desconcierto, subí y bajé las escaleras dos o tres veces, vacilando entre golpear su puerta o no.

Nunca he sido hombre de impulsos firmes ni de decisiones súbitas.

De pronto se escuchó el ruido del ascensor descendiendo. Me pilló en la segunda planta. Bajé al galope. Cuando se abrió la puerta del ascensor casi me caigo para atrás de la impresión.

De la mala impresión.

Fernandito y Genaro agarraban por las axilas a la concejala, la cual, por cierto, presentaba un aspecto deplorable, completamente grogui, los ojos en blanco, la baba colgándole por la boca, entre desvanecida o borracha. Fernandito sujetaba con la mano libre los zapatos de tacón de la señora.

Tan pasmados se quedaron al verme que casi se les cierra el ascensor en las narices.

—Papá, ¿qué haces tú aquí?

6

—No, esa pregunta te la hago yo a ti, Fernandito. ¿Qué coño haces tú aquí?

—Pues, ya ves, echando una mano a Genaro.

—Tú eres tonto de remate, hijo. Ya hablaremos en casa. Y tú, Genaro, ¿me puedes explicar de qué va esto? Cuando la sacaban del ascensor, la cabeza de la concejala oscilaba hacia los lados, hacia arriba y hacia abajo, como la del muñeco que Genaro lleva en el guardabarros del camión. Me temí lo peor.

—¿Está muerta?

—No digas tonterías —respondió Genaro—, solo está inconsciente. Tu hijo debía echar un somnífero en el refresco, y se le ha ido la mano.

—¿Qué me estáis contando? ¿Es eso cierto, hijo? ¿Se puede saber qué has hecho?

—Nada grave. Unos lorazepanes de los de mamá. Se recuperará pronto, ya lo verás.

—¿Le has echado un lorazepán a la concejala?

—Esa era la idea —dijo Genaro—. Un lorazepán. Pero resulta que tu hijo tiene iniciativa propia.

—No me fastidies, Fernandito. ¿Cuántos le has echado, si puede saberse?

—Cinco. Para asegurarme.

—¿Pero tú estás tonto o qué coño te pasa?

—¿Cómo iba yo a saber que esta señora se bebería de un trago una cocacola de un cuarto de litro? ¡Y con pajita!

—Lo hecho, hecho está —sentenció Genaro—, no hay que darle más vueltas. Ahora no es momento ni lugar para discutir.

—No, eso es verdad, ya lo discutiremos en la cárcel, que es donde vamos a ir todos por tu culpa, gilipollas.

—Baja la voz, Montana. Y, por cierto, ¿tú qué haces aquí? Te dije que no vinieras hasta que yo te llamara.

—No eres mi jefe, Genaro. Además, no aguantaba en casa. Llevo una hora ahí fuera, en el puto coche, esperando tu llamada. Y menos mal que he venido, porque si no...

—¿Has venido en tu coche? Genial. Fernandito y yo íbamos ahora a la cochera a por el mío. Si tienes el tuyo más cerca, tanto mejor; podría ahorrarnos algunas engorrosas explicaciones en caso de toparnos con un vecino.

—¿A dónde se supone que lleváis a esa pobre mujer? Espero que sea a un hospital.

—Claro que sí —concedió Genaro—, a un hospital. Tú trae el coche. Nosotros te esperamos aquí.

—Lo tengo aparcado ahí enfrente.

—Tanto mejor. No se hable más. Ve abriendo las puertas. Y tú, Fernandito, ándate al loro. Si nos topamos con algún vecino, a esta señora nos la hemos encontrado desvanecida y la llevamos a un centro de salud. A propósito, ponle tu casco, así no hay riesgo de que alguien la reconozca.

La pobre mujer, con el casco de mi hijo, en el que cabían dos cabezas como la suya, con un desgarro en la media de la pierna derecha, que dejaba ver un trozo de su carne varicosa, la camisa por fuera, los pies descalzos, las manos flotantes, las rodillas vencidas, ofrecía, en fin, una estampa de lo más lastimosa.

La tendimos sobre el asiento trasero de mi viejo Kia Río.

Fernandito hizo amago de querer entrar en el coche y sentarse junto a la concejala.

—¿Adónde crees que vas?

—A acompañaros.

—Y una mierda. Tú ahora mismo te montas en tu moto y te vas a casa.

—Papá, tengo veintiocho años, puedo hacer lo que me dé la gana.

—Pues a ver si te da la gana de buscarte un puñetero piso y montarte tu propia vida, porque mientras duermas bajo mi techo, las órdenes las doy yo.

—Bueno, ya estamos con la coplita.

—Tu padre tiene razón —intercedió Genaro—, tú aquí ya has cumplido tu parte. Pero no te preocupes por nada. Te prometo que nuestro trato sigue en pie.

—¿Trato? ¿Qué trato tienes tú con mi hijo?

—Te lo contaré por el camino. Dame las llaves del coche, que conduzco yo.

—De eso nada. Es mi coche. Yo conduzco.

—Montana, entra en razón. Me paso el día al volante. Tú eres un conductor ocasional. Llegaremos antes si me dejas conducir a mí.

No tenía cuerpo para discutir. Le arrojé las llaves a la cara. Fernandito nos miraba como si le costara trabajo decidirse. No es un muchacho de impulsos firmes ni de decisiones súbitas. En algo tenía que salir a mí, digo yo. Le quité el casco a la concejala y lo puse en manos de mi hijo.

—Ve a casa y dile a mamá que no me espere despierta. Si te pregunta, cuéntale toda la verdad, sin omitir detalle, porque luego me preguntará a mí y yo no voy a mentirle. No quiero malos rollos entre tu madre y yo.

Fernandito se montó en la moto, pero no la arrancó. Se quedó allí, mirando cómo yo me sentaba en el asiento del copiloto y Genaro se hacía cargo del volante. Cuando torcimos la esquina, aún continuaba detenido, encima de la moto, mirándonos fijamente, con el casco en la mano, la boca algo entreabierta. A veces le ocurre. Se queda así, lelo. Como congelado. Con cara de andar rumiando pensamientos graves. A saber qué pasará en realidad por esa cabeza.

Mientras Genaro callejeaba, yo iba con la mirada clavada en la concejala. Me preocupaba su estado. La sobredosis de lorazepán puede inducir al coma. Lo que me tranquilizaba es que su respiración parecía suave y constante, como quien está inmerso en un sueño plácido. El flequillo lo tenía pegado a la frente y los ojos medio abiertos, aunque solo se le veían dos rajas blancas, como dos pequeñitos cortes de coco de los que venden en las ferias. Le aparté el pelo de la frente. Sudaba a raudales, pero no parecía tener fiebre. El rímel se le había corrido en churretones oscuros que dibujaban figuras caprichosas sobre sus mejillas, como el mapa de un país extraño.

La verdad es que daba pena mirarla.

Cuando volví a prestar atención a la carretera me sorprendió comprobar que no íbamos en dirección al hospital. Estábamos tomando la M-30.

—Por aquí no se va a ningún hospital, Genaro. ¿Se puede saber a dónde coño nos llevas?

—Montana, tenemos que hablar.

7

—No hay nada que hablar, Genaro. Da la vuelta en el próximo desvío y lleva a esta mujer a un hospital antes de que nos metas en un lío del que no podamos salir.

—Qué lío ni qué lío, Genaro. No seas melodramático. Esta mujer se pondrá bien. Son solo unas pastillas. Y, además, ya ha vomitado en mi casa. Como mucho le darán unas jaquecas. Olvídate de eso y escúchame, Montana. Te pido disculpas por lo de antes, por haber implicado a tu hijo. Me he pasado. Lo acepto. Pero necesitaba una mano, y como tú te andas con esos escrúpulos.

—¿Rehusar a secuestrar a una persona llamas tú escrúpulos? Por cierto, ¿qué era eso de que tienes un trato con mi hijo?

—Ya llegaremos a ese asunto, Montana; todo a su tiempo. Ahora tranquilízate, por favor.

—Estoy bien tranquilo. Pero no te voy a consentir que impliques a mi hijo en tus chorradas.

—Ya te he pedido disculpas, Montana. No vamos a discutir. Me alegra que estés aquí. Te lo digo en serio. Eres un poco lento. Pero acabarás entendiendo que esto que hago es lo mejor para todos. Para mí. Para ti. Para tu familia.

—No me vengas ahora con esas, Genaro. Yo sé lo que es mejor para mi familia y, desde luego, no tiene nada que ver con drogar a una concejala.

—Ya me dirás si cambias de opinión cuando escuches mi plan. Verás, yo tengo una casita en Colmenar de

Oreja, a menos de una hora de aquí. Es un sitio pequeño, pero apartado y seguro. Ahí es a donde la llevamos. La retendremos un par de días. Tres a lo sumo.

—Definitivamente tú has perdido la chaveta...

—Calla. No me interrumpas, coño. Yo me encargo de todo. Haré una llamada anónima a la prensa. Les diré dónde pueden hallar pruebas. Dejaré su chaqueta con manchas de sangre y su documento de identidad. El resto será coser y cantar. Sacan la noticia. Me acerco al Retiro, pillo los quinientos mil euros y soltamos a la concejala. Por descontado, vamos a medias. Quinientos mil para cada uno.

—Imaginaba que por ahí irían los tiros. Dinero. Pero no te preocupes, puedes quedarte con todo. Es dinero sucio. No lo quiero para nada.

—Eso lo dices ahora, con la boca chica.

—¿Eso piensas de mí? ¿Después de tantos años, así es como piensas que soy?

—No tiene nada que ver con los años. Estas son circunstancias especiales.

—A estas circunstancias especiales se las llama secuestro. Y te advierto que nos puede caer la perpetua.

—Querido, te informo de que nuestro Código Penal se reserva la cadena perpetua para el regicidio, magnicidio, genocidio, asesinatos en serie o para quien mate a un menor o un discapacitado. No sé si la concejala tiene alguna discapacidad, pero, por fortuna, no vamos a matarla. Solo la estamos ayudando.

El muy cabrón tiene respuesta para todo. Que el asesinato quedara descartado de sus planes me trajo cierto alivio. Pero quedaban muchas dudas por resolver.

—De acuerdo, vamos a imaginar por un momento que seguimos tu plan. Tú te haces con el dinero, allá tú; pero eso no quita para que esta mujer siga en peligro.

—En realidad, había pensado en contarle todo a la concejala cuando despierte. Explicarle que es por su bien y el de sus hijos. Haciéndole creer a los asesinos que está muerta, le estamos consiguiendo un tiempo extra para que ella decida cómo proceder. Que vaya a la policía, que contrate un detective privado, que cambie de nombre, que se mude de país. O que se haga la cirugía y cambie de cara, que tampoco le vendría mal.

—Mira, Genaro, no me cuentes más. Para el coche. Yo no quiero tener nada que ver en esta historia.

—Ya es tarde para eso, ¿no crees? Lo tenías que haber pensado mejor antes de acudir a mi casa y meterme a mí en este embrollo. Tú y tu puto juego de las adivinanzas. ¿Qué harías si te encontraras quinientos mil euros en un parque? (Esto lo dijo poniendo voz aflautada y ridícula, nada parecida a la mía). Estamos los dos metidos en esto. Ya no hay vuelta atrás. Ahora lo que toca es concentrarse y no joderla.

Abrió la ventana y escupió un chicle. Luego se me quedó mirando de reojo.

—Espabílate, coño, Montana, que aquí tienes la oportunidad de darle una vuelta a tu vida.

Darle una vuelta a mi vida. Qué fácil sonaba. Sentía revolotear dentro de mí esas palabras como golondrinas alrededor de un campanario. A cierto tipo de gente le parecerá irrisorio que por medio millón de euros se pueda complicar uno de esa forma. Hay quienes con esa cantidad no tienen ni para la entrada de su yate de recreo. Pero, para gente como yo, medio millón es una cantidad prodigiosa. Medio millón es algo así como un genio saliendo de la lámpara, un abracadabra que nos permitiría a Andrea y a mí realizar los sueños de toda una vida. Sueños pequeños, mediocres, tal vez, pero los sueños de personas decentes que tenían derecho a envejecer sin el agobio de un mañana incierto.

—¿Genaro?

—Dime.

—Estoy contigo. Hagámoslo. Pero, una cosa te digo: si esto sale mal, he pensado en alistarme en la Legión Internacional y marcharme a Ucrania.

—No hará falta. Todo saldrá bien. Confía en mí.

Que confiara en él. Había confabulado con mi hijo a mis espaldas, había drogado a una concejala, me arrastraba a un secuestro, había repartido el dinero a su gusto. Pero me pedía que confiara en él. Y eso sin contar lo de la casita en Colmenar de Oreja.

—¿Genaro?

—Dime.

—¿Desde cuándo tienes tú una casa en Colmenar de Oreja?

—De toda la vida. Mi madre nació ahí.

—¿Y nunca me has dicho nada?

—¿Y qué querías que te dijera?

—No sé, somos amigos. Toma la llave, vete a pasar un fin de semana con tu mujer. Veniros a celebrar una barbacoa. Qué sé yo. Es lo que hacen los amigos.

—Yo no hago barbacoas. Esa casa es mi refugio. Tú vas al Bernabéu a distraerte, yo me vengo al Colmenar. Voy allí a leer, a pasear, a respirar, a apartarme de todo. Jamás llevo a nadie. Además, no tiene wifi, apenas hay cobertura, no hay televisor, ni radio ni modo alguno de ver un partido de fútbol. ¿Qué harías tú en un sitio así aparte de comerte las uñas de aburrimiento?

En ocasiones pienso que me conoce mejor que yo. Pero, aun así, me molestó su falta de tacto.

—Lo que yo haga o deje de hacer es problema mío. Pero no habría estado de más que hubiera salido de ti el ofrecérmela, digo yo.

—Mira, Montana, yo te quiero. Lo sabes. Somos amigos desde hace treinta años. Pero hay cosas en las que nuestros mundos divergen. A ti te va el fútbol, a mí no. A ti te entretiene *La isla de los famosos*, y a mí la simple idea de que exista algo así ya me saca de quicio. A ti te va Julio Iglesias y yo soy más de Britten, Gershwin, Bernstein...

—Te los estás inventado. Esos nombres no existen.

Estalló en una risa sonora y ofensiva que, de todos modos, no despertó a la concejala.

En mi fuero interno concordaba con él.

No somos iguales.

Él tiene lecturas y yo solo soy un patán al que le bastan las páginas del Marca para saciar su hambre de letra impresa. Él tiene un mundo interno, una trastienda, que diría Andrea, a la que solo él tiene acceso, y yo soy como una de esas terrazas de paredes transparentes que ponen los restaurantes para los clientes fumadores, todo a la vista, simple y sencillo. Mi filosofía de la vida se limita a llevar el pan a casa, como me enseñaron mis mayores. Genaro es de otra pasta.

Eso hay que admitírselo.

Somos distintos.

Y, con todo, hemos sido capaces de sostener una amistad de treinta años. Algún mérito debe recaer también sobre mí, digo yo.

—Respecto a tu hijo —dijo de repente—, le he prometido cien mil euros, de los de mi parte, por supuesto, para que se vaya de casa y os deje a Andrea y a ti en paz, antes de que se te pase por completo el arroz.

Ahí estaba el Genaro al que yo quería como a un hermano. En ese tono de voz. En esa mirada dura pero por donde restallaba la ternura por los cuatro costados. Esa parte suya me hacía olvidar sus rarezas, sus aires de superioridad, sus pedanterías.

Faltaban unos pocos de quilómetros. La concejala me estaba babeando la tapicería trasera. Solo de pensar que nos dirigíamos a una casa donde permaneceríamos aislados un día o dos me entró el agobio y enchufé la radio. Hablaban del atentado de Hamburgo. La cifra de muertos ascendía ya a siete y había aún una decena de heridos. El autor resultó ser un antiguo miembro de la comunidad de Testigos de Jehová. Disparó nueve cargadores de munición antes de levantarse la tapa de los sesos.

—El mundo se ha vuelto loco —dije por decir algo.

—El mundo está loco desde que empezó a ser mundo —fue su respuesta. Pero debió seguir dándole vueltas a la cabeza porque a los pocos segundos añadió,

que arroje la primera piedra el que no haya pensado alguna vez en liarse a tiros con todo lo que se le ponga por delante y poner el mundo patas arriba.

No dije nada, pero yo habría podido arrojar la primera piedra. Ser un psicópata no es una de mis aficiones. Nunca se me ha pasado por la cabeza liarme a tiros. Ni siquiera me gusta la caza deportiva, y mira que a mí en cuestión de deportes me gusta hasta el curling, que deber ser el deporte más aburrido del mundo. Pero no dije nada. Recordé que Genaro tuvo un hermano, Roberto, que siendo niño había sufrido acoso en el colegio de curas donde estudiaba. Un sacerdote se encaprichó de él. Los padres, no tengo claro cómo, se enteraron y armaron la de Dios es Cristo. Al cura, por todo castigo, lo trasladaron a otro colegio. La noticia, por supuesto, transcendió. El niño se convirtió en el centro de las bromas de los demás críos, que parece mentira que podamos ser tan hijos de puta con tan poca edad. El pequeño Roberto acabó bebiéndose media botella de lejía que la madre guardaba bajo el fregadero.

Tenía diez años, uno menos que Genaro.

De todo esto solo hemos hablado una vez. Un día, hace muchos, muchísimos años, cuando aún salíamos de bares y el final de la noche se prestaba a las caminatas y las confidencias. Pero, a veces, cuando se queda ensimismado, con los ojos fijos en un punto lejanísimo, adivino qué de recuerdos y pensamientos deben rondarle por la cabeza.

Cambié de emisora.

Moví el dial en busca de una en la que pusieran música decente. Encontré una donde sonaba la canción de Kris Kristofferson, *Help me make it through the night*, que el locutor tradujo como: ayúdame a pasar la noche.

Ninguna otra canción me habría parecido tan oportuna.

8

Llegamos a Colmenar de Oreja a la una de la madrugada. Nos recibió un frío siberiano y un silencio de cuento infantil. La casa de Genaro se agazapaba sobre un montículo a las afueras del pueblo, al que solo vi de pasada. Una casa de piedra, más bien pequeña. Salón, cocina, dos habitaciones no muy amplias, y aseo, todo en un solo piso. Sacamos a la concejala del coche y la tendimos en el sofá del salón, que tenía justa las medidas para acoger tendida a una persona de no excesiva talla. Genaro arrojó líquido inflamable sobre los leños previamente dispuestos en la chimenea y las llamas prendieron de inmediato. Arrimamos el sofá al fuego para que no se nos helase la concejala y Genaro se fue a preparar el dormitorio donde se suponía que la concejala habría de pasar las próximas jornadas.

Aproveche para curiosear.

Las paredes del salón estaban repletas de libros. Cientos. Acaso miles. Libros de todos los colores y tamaños dispuestos en un hermoso e hipnótico desorden. Yo no había visto tantos libros juntos desde aquella vez que acompañé a Fernandito a la biblioteca municipal.

En una pared, frente al sofá, distinguí el único cuadro de toda la sala. Me llamó la atención lo colorido del lienzo, el optimismo melancólico que desprendía. Un hombre —en realidad, casi una caricatura de hombre— vestido con una especie de bata o de sayón decorado con nenúfares rosados, miraba a lontananza, bajo un cielo de un azul luminoso y cuajado de estrellas, con una sonrisa entre bobalicona y dulce. Detrás del hombre, una palmera escuálida y, sobre él, una luna llena y brillante que me trajo recuerdos de tiempos mejores. Abajo, a la izquierda, la firma del autor y una fecha. Vito Cano, dos mil veintitrés. Poco más encontré de reseñable en aquella casa. Como había confesado Genaro, más que una casa fue concebido como refugio, como original búnker o excéntrico agujero donde aislarse del mundo. A mí me hacía pensar en el decorado de un viejo anuncio de brandy para caballeros: sillón, chimenea y libros. Solo faltaba el podenco. Un decorado que a mí, que soy hombre de taberna, que es como decir de poco recogimiento, el racimo de libros y la llamarada de la chimenea me dejaban, hasta cierto punto, indiferentes. Lo que en verdad me inquietaba era la expectativa de pasar unos días en aquel zulo lejos de Andrea y sin saber qué hacer con ese caudal de tiempo que tenía por delante.

Genaro volvió al salón con dos latas de cerveza y un plato con unos cuadraditos de queso y de chorizo, escoltados por un puñado de colines. Le pregunté qué tenía pensado hacer con la concejala y me contestó que por ahora lo conveniente era dejarla dormir, y que eso mismo teníamos que hacer nosotros. Concertamos dos turnos de guardia. Concertó él, quiero decir. Se ofreció voluntario para el primer turno. Todo el asunto atufaba a película de gánsteres. Y no recordaba ni una sola película en que los gánsteres tuvieran un final feliz.

Me mostró el que iba a ser nuestro dormitorio. Una habitación pequeña, pero limpia y con ventana al exterior. En la mesita de noche había una vieja foto en blanco y negro. Reconocí a los padres de Genaro, muy jóvenes. A sus pies, dos niños de siete u ocho años, muy formalitos mirando a cámara. Genaro tomó la foto y la metió en el cajón de la mesita de noche.

—Descansa. Te llamaré en cuatro o cinco horas.

Le envié un mensaje de whatsapp a Andrea exponiéndole sucintamente el panorama y diciéndole que no se preocupara, que la quería y la echaba de menos. Y no mentía. A los pocos segundos de recibir mi mensaje, Andrea me llamó por teléfono. En aquel silencio de sepulcro, el sonido del móvil atronó de forma obscena. Sobresaltado, apague la llamada de un manotazo y puse el aparato en silenciador. Andrea volvió a llamar. Y yo, no sé por qué razón, decidí no descolgar. Miré el parpadeo del móvil sin mover un músculo, alelado ante el espectáculo inaudito del nombre de Andrea titilando en la pantalla del móvil sin que yo descolgase al primer aviso. Un hecho sin precedentes en nuestra relación. Creo que me cohibía tanto silencio. Lo sentía sobre mí, pegajoso, grueso y cálido como una colcha. Al fin Andrea se aburrió y colgó. Y yo me quedé durante minutos mirando la pantalla del móvil con la fascinación o el pasmo con el que imagino miraría un asesino novato el cadáver de su primera víctima. No tenía ni idea por qué había actuado así, pero lo cierto es que nada me habría dado más calma ni más placer en aquellos momentos de oscuridad y zozobra que escuchar la voz de Andrea. Ni idea. Como no tenía ni la menor idea de por qué me había dejado convencer por Genaro para quedarme en esa casa y ser cómplice de un secuestro. Lo único que tenía claro en aquel instante es que sería una noche larga y que no iba a pegar ojo.

Permanecí congelado ni sé cuántos minutos. Muchos, en cualquier caso. Pero llegó un momento en el que el silencio dejó de ser cálido y paso a ser asfixiante, como un oso de niebla espesa acostado sobre mi pecho. Me aturdía, me robaba el aire y el sosiego. Puse el volumen del móvil al mínimo, busqué un noticiero en una emisora de radio, que es el truco que empleo en casa cuando el sueño remolonea. Coloqué el teléfono sobre la almohada y estampé contra él el oído derecho, como si esperara que por el agujero de la oreja me entrara el gusano del sueño. Escuchaba el relato del locutor solo medio regular, pero lo suficiente para entender que en el pueblo malagueño de Antequera dos chicos de diecinueve años habían matado a martillazos a un pordiosero que dormía bajo los soportales de la plaza mayor. Empezamos bien, pensé yo. No cambié de emisora por no cambiar de postura. Dejé que la periodista concluyera la crónica, que no era precisamente alegre ni invitaba al sueño. A ese le siguió otro suceso, esta vez sin martillos ni muertos. Resulta que, por esos días, la policía de Madrid había desarticulado una organización criminal, dedicada a estafas informáticas, que ya había logrado timar a más de doscientas personas, y que se había embolsado casi cuatrocientos mil euros en dos meses. Me removí cuando el locutor dijo que el cerebro de esta organización era un chiquillo que no había cumplido todavía los diecisiete años. Al parecer, el crío, que debía ser un genio en lo suyo, creaba sitios web falsos de entidades bancarias y los vendía a otras organizaciones criminales. Con dieciséis años. Y mi Fernandito, con casi treinta, tiene que llamar a su primo cada vez que quiere actualizar el currículum.

Definitivamente no iba a poder dormir.

En esas me entró un mensaje en el móvil. Era Andrea, preguntándome que por qué no respondía a sus llamadas, que, por favor, la llamara en cuando recibiera el mensaje porque tenía algo urgente que decirme, que confiaba en que después de tantos años de amor comprendiera por qué había actuado tan a la ligera y que confiaba que el Montana al que ella siempre amó supiera perdonarla, me suplicaba comprensión, esperaba sinceramente que no estuviera enfadada con ella, que había obrado por impulso, sin pensarlo, que se arrepentía de corazón, que esperaba no haber causado ningún problema irreparable y me rogaba una y mil veces que la perdonara.

Yo no sabía exactamente a qué de tanta zalamería y remordimiento, pero contesté con una escueta, contundente, resolutiva frase: hablamos en casa.

Di por sentado que Fernandito le había contado ya el capítulo de los lorazepanes y la concejala. Di por sentado que en la cabeza de Andrea yo era en esos momentos una especie de héroe sin capa, un tipo abnegado que se jugaba la vida apartando a una señora inocente de las garras de unos depravados. Y ella había pagado mi altruismo con sospechas, acusándome de infidelidad, de hipócrita, de llevar una doble vida. Todo esto adobado de mucho insulto, mucha lágrima y mucho desprecio. No era raro, pues, que tampoco ella pudiera dormir y que en su desvelo la asaltara el remordimiento. Y lo extraordinario es que había algo en ese padecer suyo, por más que fuera imaginario y sin sentido, que me reconfortaba. Suspiraba por mí, por mi perdón, me colocaba en un plano heroico y superior que me complacía, que me daba una pátina de héroe romántico que no le venía mal a una relación ya ajada por los años, la rutina y el verídico y mutuo conocimiento. Por eso decidí no llamarla. Alargar la espera. De ahí la frase escueta y resolutiva. Por vanidad. Pero también para que su remordimiento, sumado a mi calculado silencio, actuaran como levadura y mi persona creciera ante sus ojos, que falta me hacía.

Me levanté y me fui al salón.

Genaro, sentado en un sillón orejero, junto a la chimenea, leía un libro. Parecía otro. Llevaba puestas unas gafas negras de pasta ancha, muy bonitas, que no le había visto nunca. Desde luego no eran las que yo le conocía, unas de alambre roñoso que solía ponerse para firmar los albaranes de entrega.

—¿No duermes?

—No puedo. Echo de menos mi cama. Y a Andrea. La señora concejala dormía a pierna suelta. Un charquito de baba se le acumulaba bajo la barbilla, que daba gloria ver la capacidad de esa mujer para generar saliva. Arrimé una silla junto a la chimenea, me senté y me puse a mirar el fuego, que es cosa de mucho entretenimiento. Genaro me ignoró y siguió inmerso en su lectura.

Tiré el hilo de varias conversaciones, pero él siempre rehuía o respondía con un ajá. Continué mirando el fuego. En cierto momento él se levantó para ir al baño y dejó el libro sobre la mesa. Sentí curiosidad por saber qué coño le tenía tan embebido. Tomé el libro. *Adiós a la filosofía y otros textos*, de Emile Cioran. A toda prisa lo abrí por donde había colocado el marcapáginas y leí al azar una frase cualquiera: «Fuera de la música, todo, incluso la soledad y el éxtasis, es mentira. Ella es justamente ambos, pero mejorados.» Me aspen si entendí algo. Virgen Santa, pensé, si todo el libro va en este tono, no me extraña que el pobre Genaro tenga la cabeza como la tiene. Coloqué el libro tal y como él lo había dejado. Y debí hacerlo bien porque, cuando Genaro regresó, lo volvió a tomar y se enfrascó de nuevo en la lectura sin decir ni pío. Yo miraba absorto el danzarín juego de las llamas de la chimenea con tanta concentración y aburrimiento que acabé por dormirme. Me despertó un ruido extraño. Como un zumbido. O como un apagado grito de auxilio. Abrí los ojos, sobresaltado. Genaro ya no estaba en el sillón. Me giré y vi a la concejala sentada en una silla, en mitad del salón, la boca amordazada con un trozo de cinta americana, las manos atadas a la espalda y Genaro agachado, terminando de amarrarle los pies.

9

—¡Genaro! ¿Qué diablo estás haciendo?

—He tratado de razonar con ella, pero no hay manera.

La mujer me miraba con los ojos desorbitados, como pidiéndome amparo. Meneaba con frenesí la cabeza y emitía sonidos por la boca que la cinta americana convertía en un gorjeo incomprensible, como de pájaro de dibujos animados. Di dos pasos hacia ella, pero Genaro me salió al encuentro, me puso una mano en el pecho y me dijo que me relajara, que no había de qué preocuparse, que todo iba según lo planeado.

—Las pastillas todavía no le permiten pensar con claridad. Démosle algo más de tiempo.

Y se fue a la cocina a preparar café.

La concejala rompió a llorar. No era un llanto histérico ni uno de esos de hipo y moco, tan desagradables de ver y de escuchar. Era un llanto sin drama, donde todo el peso escénico recaía en el meneo de cabeza y el parpadeo acelerado, como si le hubiera entrado algo en los ojos.

Yo me acerqué a ella, me acuclillé y le expliqué lo mejor que pude que, aunque las apariencias decían lo contrario, no tenía por qué tener miedo, que no éramos asesinos ni secuestradores y que, cuando comprendiera lo que en realidad estábamos haciendo, acabaría por darnos las gracias. Y justo en ese instante comprendí lo que Genaro había querido decir con eso de que la señora aún no regía bien, porque, en vez de darme las gracias, amagó con darme una patada en la entrepierna, que solo la cinta americana me libró de llevarme un disgusto.

La casa se llenó del aroma del café. Genaro colmó dos tazas. Nos sentamos en la cocina. Desde mi sitio podía ver a la concejala. Se le hinchaban las narices al respirar. Ya no gimoteaba ni emitía raros gorjeos. Solo miraba hacia nosotros con los ojos rebosantes de algo que yo interpreté como odio en estado puro. Tal vez fuera efecto de las lágrimas o el reflejo del fuego de la chimenea, pero a mí me parecían que refulgían como tizones o como refulgen en la oscuridad los ojos de ciertas alimañas. La verdad es que la señora daba un poco de miedo.

Entonces me sonó de nuevo el teléfono. Andrea. No descolgué. Me limité a ponerle un mensaje donde le contaba, muy por encima, que la concejala se encontraba bien y que yo estaba haciendo todo lo posible para que la situación se aclarara y volver a casa cuanto antes. Cuando concluí y puse el teléfono sobre la mesa, Genaro dio un último sorbo al café, me miró de esa forma suya y me preguntó que si no me cansaba nunca.

—¿De qué?

—De dar explicaciones a todo el mundo. A Andrea, a Emilio, a tu hijo, a mí.

Acaso fue el tono en el que me habló, acaso fuera el café o el haber dormido en un sillón junto a la lumbre, bajo el mismo techo que una señora amarrada a una silla, la cuestión es que tuve la desagradable sensación de que en ese momento Genaro sentía hacia mí un desprecio profundo y antiguo. Me vino a la cabeza la idea que Genaro —este Genaro inédito que tenía ante mí con unas gafas inéditas sobre la nariz, en una casa inédita y en una situación tan inédita— en realidad ni me consideraba su amigo ni leches, que si consentía en ocasiones mi compañía era porque soy el único gilipollas capaz de soportar su soberbia y sus desaires.

Era una idea inquietante y novísima, pero, reveladora.

Me levanté de la silla solo por separarme de ese Genaro nuevo por el que no sentía ninguna afinidad ni simpatía, y me fui hasta la concejala. Le dije que, si me escuchaba con atención y me prometía no gritar ni dar patadas, la soltaría y ya vería cómo todo se iba a arreglar y nos iríamos todos a casa antes de que nos diéramos cuenta. La concejala pareció comprender y asintió con la cabeza. Arrimé una silla a su lado y, para demostrarle que iba en serio, y de paso ganarme su confianza, le dije que me llamaba Andrés, aunque todos me dicen Montana.

—Nada de nombres —gritó Genaro.

—No seas peliculero, Genaro —grité yo.

Observé que la concejala bajaba los párpados como diciendo vaya par de imbéciles, pero no me dejé desmoralizar. Le desgrané la historia desde el principio. No desde que mi abuelo me dijera lo de la luna. Esa parte me la salté. Empecé por cuando Casa Emilio echó el cierre y me vi obligado a mendigar un trabajo y en esas apareció el tipo del maletín y me confundió con un sicario al que pagaban un millón de euros por quitarla a ella del medio. En esa parte del sicario puse mucho énfasis, para que le quedara bien claro en el peligro en el que nos poníamos Genaro y yo para protegerla a ella.

Llegado a este punto, le confesé que, en un principio, la intención de mi amigo consistía en retenerla el tiempo suficiente para que la prensa la diera por muerta y embolsarse el medio millón que faltaba, pero que yo no estaba en absoluto de acuerdo con ese plan y que tampoco mi amigo tardaría mucho en convencerse. De modo que, si ella se mantenía firme en su promesa de no patalear, la soltaría y se podría ir a casa cuando quisiera, si es que ese era su deseo, pero a sabiendas de que había por ahí un sicario tratando de matarla. Nuestra parte ya estaba concluida.

El efecto de las pastillas debía estar ya remitiendo, porque la señora escuchaba con atención y asentía o negaba moviendo la cabeza con mucho tino, en función de las cosas que yo le iba diciendo. Cuando me convencí de que habíamos llegado a un acuerdo, me levanté de la silla, me acuclillé ante ella y comencé a quitarle la cinta americana de los pies. Y entonces la señora empezó de nuevo con sus gorjeos extraños y a removerse y dar brincos en la silla. Al pronto pensé que era efecto de la cinta americana, que al arrancársela le estaba depilando los tobillos.

Pero, no.

Era que tenía a Genaro a mis espaldas.

Y con un tronco de leña entre las manos.

Me dio un golpe en la cabeza y perdí el conocimiento.

Cuando desperté, me encontraba en una silla, atado de pies y manos, junto a la concejala.

10

—¿Te has vuelto loco, Genaro?

—Tú me has obligado.

—No seas imbécil, Genaro. Desátame. Te prometo que no te lo tendré en cuenta. Todo esto es una locura. Pero todavía podemos dar marcha atrás. Volver a casa y hacer como que nada ha ocurrido.

Genaro se sentó en el orejero, recostó la cabeza contra el respaldo, como agobiado por una fatiga que le atenazara las vértebras, lanzó un largo resoplido y me dijo que para mí era fácil dar marcha atrás.

—Tienes a Andrea esperándote en casa.

Se levantó y se fue hasta la ventana, separó la cortina y, mirando al exterior, empezó a hablarme. Quiero pensar que le daba vergüenza mirarme a los ojos. Y no era para menos. La confesión que me hizo a continuación rasgaba velos en nuestra amistad, dejándola con la piel al aire, imposibilitada para cualquier reconciliación.

—Un día mis padres nos llevaron al Teatro de la Zarzuela a Roberto y a mí. Daban Los Gavilanes. Supongo que no sabes de qué te hablo.

A mí lo de los gavilanes me sonaba a episodio de *El hombre y la tierra*, pero tuve la prudencia de mantener el pico cerrado y no le di la satisfacción de que se regodeara en mi ignorancia. Continué mirándolo con cara de póquer.

—Trata de un barítono que un día decide renunciar a todo, familia, novia, patria, y se va a hacer las Américas. Al cabo de los años regresa, rico y poderoso, pero solo y viejo. Encuentra a la antigua novia viuda, pobre y con una hija hermosa y soltera. Decide casarse con la muchacha, pero resulta que ella está enamorada del tenor, que, aunque pobre, es guapo y de su misma edad. Y ahí comienza la lucha entre los dos gavilanes por ver quién se lleva a la palomita. Por supuesto, triunfa el amor. El barítono, al que todos tienen por un triunfador, debe admitir su derrota, renunciar de nuevo al amor. Consiente que los dos jóvenes se casen, incluso costea él la boda. Un espectáculo sentimental, pero sublime. Yo salí del teatro conmocionado. Esa misma noche le confesé a mi hermano Roberto que sería tenor o no sería nada. Hasta me matriculé en el conservatorio y en la Escuela de Canto. Cuatro años me costó aceptar que nunca sería músico; mucho menos, tenor. Lo que me sobraba de pasión me faltaba de facultades. Así que renuncié a mi sueño, como el barítono de Los Gavilanes. Y resulta que eso es lo que he hecho desde entonces. Renunciar. A todo cuando de verdad me importó alguna vez. Renunciar. Hasta convertirme en esto.

—Me he perdido, Genaro. ¿A qué viene este rollo de gavilanes, barítonos y zarzuelas? No te entiendo. Háblame en cristiano, si es que tienes algo que decirme.

Genaro me atravesó con la mirada. Hizo una larga pausa, como el jugador que se concentra antes de lanzar el penalti definitivo.

— Nunca he entendido cómo una mujer como Andrea pudo enamorarse de ti. Te da siete vueltas en todo. Es lista, refinada, elegante. Hermosa. Y tú…tú eres Montana. Creo que ni siquiera eres consciente del valor de esa mujer.

—¿De qué coño me estás hablando, Genaro?

—Si hubieras sido consciente del regalo que te hizo la vida al ponerte a esa mujer en tu camino, habrías pillado los quinientos mil euros cuando tuviste oportunidad y la habrías sacado del sucio agujero que llamas hogar y te habrías dedicado a compensarla por tantos años de mediocridad. Es lo que hubiera hecho yo.

Solo en ese momento comencé a vislumbrar lo que trataba de decirme. Casi se me cae la mandíbula al suelo. Genaro, mi amigo Genaro, con el que llevaba casi treinta años compartiendo cañas y camaraderías, estaba enamorado de Andrea.

¿Sería eso posible? ¿Por qué no? Andrea tal vez no sea muy grande de estatura, pero tiene un hermoso rostro ovalado y los ojos impresionantemente negros, como el pelo, que hacen que su piel, que es blanquísima, parezca aún más blanca, como las mujeres de esos cuadros de siglos pasados que a mí siempre me han hecho soñar con deleites inagotables. No sé si mi Andrea sería una de esas mujeres capaces de detener a su paso la labor de una cuadrilla de albañiles. Tal vez no. Ni falta que le hace. Pero a mí se me pararon los pulsos desde el primer momento en que la vi. ¿Tiene algo de raro que a Genaro le pasara algo semejante?

Me faltaba el aire.

Algo me comprimía el pecho.

Así que el mal pensamiento que tuve antes acerca de él no era tal sino una intuición. Genaro me despreciaba. Qué digo. Me odiaba. Y todo porque él, que no ha conocido mujer que se le resista, se enamoró de Andrea. De la mujer del Montana.

Casi daban ganas de reír.

—Tú tienes la culpa de cuanto nos está ocurriendo en estos momentos, Montana. Yo vivía en paz. Con mis demonios, pero en paz. Y tuviste que llegar a mi casa, con el puto maletín y la puta adivinanza de los cojones. Desde que me preguntaste qué haría yo con quinientos mil euros no he parado de darle vueltas a la cabeza. ¿Y sabes qué he pensado? Mandar todo a la mierda. Actuar como lo que soy. El Gran Renunciador. Renunciar a lo grande. Largarme muy lejos. A cualquier lugar donde no volviera a veros la cara nunca más en la vida. Ni a ti, ni a Andrea.

—Para eso no te hacen falta esos quinientos mil euros. Tienes el piso de la calle El Barco. Y esta casa. Véndelos y te largas a donde quieras.

—¿Ves cómo eres gilipollas? ¿Crees que si las pudiera vender no lo habría hecho ya? El banco me tiene cogido por los huevos, Montana.

En otro momento me habría preocupado por saber los motivos por los que un tipo como él, sin familia y con un contrato fijo en una empresa solvente, se veía en apuros financieros, pero ahora me daba absolutamente igual. Que se joda.

La concejala reclamó nuestra atención con nuevos gorjeos, esta vez más apremiantes.

—Y esta qué quiere ahora.

—Quítale la venda de la boca, Genaro, no seas cafre.

—¿Prometes no gritar?

Dijo que sí con la cabeza y Genaro le arrancó la cinta de la boca.

—Necesito estirar las piernas —dijo la concejala—, las rodillas me están matando y me pican las piernas un horror, que tengo mala la circulación.

Me sorprendió su voz, que era dulce y melodiosa y tenía un no sé qué de autoridad y de confianza en sí misma. Genaro se lo pensó unos instantes.

—Suéltala, Genaro. No se va a ir a ninguna parte.

—Gracias, dijo la concejala.

—Vale, pero nada de tonterías o te vuelvo a amordazar.

Le quitó la cinta americana de manos y pies y le pidió que no olvidara que todo esto lo hacía con la sola intención de salvarle la vida. Omitió lo de los quinientos mil euros, supongo que porque le pareció de mal gusto hablar de dinero en un momento tan conmovedor.

—Gracias. A los dos —dijo la concejala. Se levantó, se frotó las pantorrillas con las manos y dio varias patadas al aire, para estirar las piernas—. La forma que habéis elegido para ayudarme no es muy de mi agrado, la verdad; pero valoro la intención.

—¿Tienes idea de quién puede querer matarte? —pregunté yo.

—Lo cierto es que no. No se me ocurre nadie. Pero en política nunca se sabe. Te salen enemigos por donde menos lo esperas.

—Tiene que ser alguien que te odie mucho. Un millón de euros es mucha pasta—, dijo Genaro, y la concejala se limitó a encogerse de hombros.

—¿Hay algo que podamos hacer por ti? —pregunté yo.

—Me gustaría llamar a mi madre. En casa hay una asistenta que la cuida, pero mi madre es muy mayor y debe de estar preocupadísima. No suelo pasar noches fuera de casa.

—De eso nada —dijo Genaro—, nadie puede saber que estás viva, al menos hasta que salga en las noticias. Serán un par de días. Ya tendrás tiempo de tranquilizar a tu madre.

—Tiene noventa años. ¿Cómo se va a tranquilizar? ¿Cómo crees que reaccionará su corazón si no sabe de mí en breve? ¿Queréis que sobre vuestra conciencia recaiga la muerte de una anciana? Ya debe de estar al borde del infarto. Dejadme hablar con ella. Os juro que no tenéis de qué preocuparos. Nos llevamos muy bien. Si le pido que no crea nada de lo que oiga en la tele y que me guarde el secreto durante unos días, lo hará sin rechistar.

—No me fío —dijo Genaro—, vamos a echar a perder todo el plan por puro sentimentalismo.

—Escuchadme bien los dos. Agradezco que me hayáis avisado de lo del sicario. De veras. Y estoy dispuesta a colaborar. Pero os juro que, si le pasa algo a mi madre por vuestra culpa, os denuncio por secuestro y asesinato.

—Por mí no hay problema —— dije yo—; que la llame.

Genaro no parecía muy convencido, pero ante las amenazas de la concejala no le quedó otra que claudicar.

—Vale, pero habla desde aquí, delante de mí, que yo escuche cada palabra. Y si noto que dices algo inapropiado, mordaza al canto.

11

—Mamá, soy yo. Escúchame sin interrumpirme, por favor. Tenía que haberte llamado antes; lo sé, pero me ha sido imposible. Ya te contaré. Estoy bien. En casa de unos amigos, que se han empeñado en que pasara la noche con ellos. Qué más da quiénes sean. No los conoces. No, no son escoltas. No, mamá, tampoco son policías. Calla, mujer, qué manía te ha dado con las pistolas. Sin pistolas. Solo son dos amigos. Ya te contaré detalles cuando nos veamos. Lo que quería decirte es que me quedaré por aquí un día o dos más. Cuídate mucho y no te preocupes por mí. Por cierto, igual oyes algunas tonterías sobre mí en la tele. Ni caso. Estaré bien. Nos veremos muy pronto. Adiós.

La concejala colgó y metió el móvil en el bolso. Miró a Genaro.

—¿Y ahora, qué?

—Ahora, a continuar con el plan, tal y como estaba previsto.

Genaro se levantó de la silla y se fue a la cocina. Cuando nos quedamos solos aproveché para rogarle a la concejala que, por favor, me desatara.

—Ni hablar. Ese hombre me da miedo, podría hacerme cualquier cosa.

Entendí su recelo y no insistí. Pero sentía curiosidad y no me aguanté las ganas de preguntarle si conocía de antes a mi amigo.

Confirmó la versión de Genaro.

Ninguno de los dos se había visto antes de esa mañana.

—¿Y cómo aceptaste ir a cenar a la casa de un desconocido?

—Qué sé yo. Supongo que todavía tiene una la esperanza de que le ocurra algo emocionante en la vida. Es un hombre muy atractivo y yo pensé que a lo mejor me invitaba por aquello de que soy concejala, la erótica del poder y todo eso. Ya sabes. O que quizás le gustasen las maduritas. O las feas. A saber. Los hombres sois muy raros.

En esas llegó Genaro. Traía un cuchillo en las manos, de esos que llaman cebolleros, como el que usábamos en el restaurante para picar y rebanar. No me dio buena espina. Se sentó junto a la concejala y, con el tono entre delicado y didáctico que gastan los médicos para decir que te van a abrir la barriga y sacarte un quiste de las tripas, le dijo que tenía que rajarle un poco en el brazo para manchar de sangre la chaqueta y darle visos de verosimilitud a la coartada del crimen. Luego dejaría la prenda en algún lugar y haría una llamada anónima a la prensa avisando de dónde podría encontrar la evidencia del asesinato. La concejala guardó silencio un minuto largo. Caminó un poco por la habitación, tres pasos para allá y otros tres de vuelta, supongo que meditando la propuesta. Cuando la tuvo lista, volvió a sentarse a mi lado, frente a Genaro.

—Voy a dar por hecho que ya tienes el correo de algún periodista de lustre al que enviarle el anónimo.

Genaro dudó un instante y luego hizo con la cabeza un gesto afirmativo que no convenció ni a la concejala ni a mí.

—No has sido muy persuasivo. Pero, supongamos que lo tienes. ¿Consideras que ese periodista tuyo podrá hacer que la noticia salte a nivel nacional? Porque yo no me quedaría tranquila con menos.

Genaro me miró como pidiéndome auxilio. Le dije que a mí no me mirase, que yo, del mundo de la prensa, al único que conocía era a Eusebio, el del quiosco. Entonces la concejala sacó su teléfono del bolso y empezó a manejar en la pantalla. Se conoce que tenía a varios periodistas en su lista de contactos porque tardó en decidirse.

—Aquí tengo algunos con los que puedes dar el campanazo.

—Gracias, dijo Genaro, lo tendré en cuenta; pero lo primero es lo primero.

Se levantó, cuchillo en mano, agarró el brazo izquierdo de la concejala y procedió a levantarle la manga de la chaqueta y la camisa. La mujer, que demostró tener temple como para salir a buscar al soldado Ryan y traerlo de vuelta para la hora de la cena, no se permitió ni un gesto de susto ni de contrariedad.

—Está bien. Si dices que no vas a hacerme daño, te creo. Pero antes necesito comer algo. Aparte de las pastillas esas con las que me habéis drogado, no me entra nada en el estómago desde ayer a mediodía. Si me pinchas ahora, me marearé, seguro.

Genaro detuvo el cuchillo en el aire. Mantuvo un duelo de miradas con la concejala en el que ella salió claramente victoriosa. Yo permanecí neutral, de espectador silencioso. Aturdido, confuso, perplejo aún por la confesión que acababa de hacerme el tipo a quien tuve durante treinta años por mi mejor y único amigo. Pensaba que en esos treinta años de amistad jamás se me pasó por la cabeza que albergara esa clase de sentimientos hacia mi Andrea. Y traté de echar cuentas la de veces que yo, ingenuamente, los había dejado a solas sin sospechar ni esto así de él. ¿Y tengo que confiar en que nunca se le había insinuado? Me costaba creerlo. Y de haberse insinuado, ¿sería Andrea capaz de resistirse a un hombre así? Porque, como diría Shakira, comparar a Genaro conmigo es comparar un Ferrari con un Twingo, las cosas como son. ¿Se habría dado mi Andrea un paseo en el Ferrari? No sabía qué pensar. Entonces me acordé del mensaje de la noche anterior. Disculpas, excusas, arrepentimientos. Cobraron un nuevo sentido. Un doloroso sentido, que me quemaba el alma. Seguramente ella, que es mucho más lista de lo que yo seré jamás, entendió que Genaro, luego de pasar una noche entera conmigo, acabaría por confesarse, y quiso poner la cataplasma antes de la herida. ¿O estaba yo siendo mal pensado y traicionando la confianza de la mujer que en treinta años no me había dado ni un motivo de quebranto? ¿O me los había dado, y yo no los había sabido ver porque soy un simple, un atolondrado y un botarate?

Cuando Genaro se apartaba de la concejala para ir a la cocina a buscarle algo de picar, aproveché para decirle que si se había olvidado de mí y si pensaba mantenerme atado el resto de mi vida.

—Te desato solo si me prometes no hacer tonterías.

—Ya hemos hecho todas las tonterías que teníamos que hacer, Genaro. Ahora lo que quiero es que esto termine, que esta señora se pueda ir a su casa cuanto antes y, a ser posible, sin que nosotros acabemos entre rejas.

Cortó la cinta americana con el cebollero mientras me pedía que recordase que el jefe era él y que las cosas iban a hacerse a su manera. Asentí con un pequeño movimiento de cabeza y volví a quedar en libertad.

—Ya me dirás qué quieres que haga ahora.

—Cuida que la señora no haga ninguna estupidez mientras yo estoy en la cocina.

Se fue y yo quedé de nuevo a solas con la concejala. Como allí no había mucho que hacer, la señora empezó a curiosear entre los libros.

—¿A qué se dedica este hombre?

—Es repartidor de cervezas.

Abrió la boca como si estuviera en el sillón del dentista, arqueó las cejas todo lo que daban de sí, echó un rápido vistazo a aquel salón atestado de libros y meneó la cabeza.

—Lo que yo digo: los hombres sois muy raros.

—Unos más que otros.

Pregunté si acaso en su casa no había libros y me dijo que los lógicos y normales, nada de ostentación.

—Yo no soy de leer. Si hubiera dedicado tiempo a los libros no se lo habría podido dedicar a la política, que es lo que en verdad me gusta. Es más, si leyera, jamás lo confesaría en público. Asustaría a mis votantes, que son gente sencilla, gente de bien que lo que quiere son representantes con los que identificarse, políticos que no les meneen las costumbres. A mis votantes no les gusta la palabrería. Les va más el estilo Trump, campechano, simplote, un tipo que dice que la aviación tuvo un papel estelar en la guerra de independencia americana y se le perdona porque un fallo lo tiene cualquiera, siempre y cuando se defienda lo que hay que defender, los valores tradicionales, nuestras esencias, ¿no te parece?

Yo iba a decir lo que me parecían sus reflexiones y su postura política cuando Genaro entró en el salón con una servilleta y unos cubiertos en las manos, los dejó sobre la mesa. Volvió a la cocina y al poco regresó con una lata de sardina en aceite, colines y una copa de vino tinto. La concejala se sentó a comer y lo hizo con mucha, muchísima parsimonia, como sin prisa ninguna porque llegara el momento en que Genaro le rebanase el brazo y manchara con su sangre la chaqueta, que, por cierto, ahora que la miraba con detalle, debía de costar dos meses de mi sueldo, tirando por lo bajo.

El vino se lo bebió de un trago. Pidió otra copa.

—Para hacer sangre.

Genaro trajo la botella y dos copas más. Cualquiera que nos viera desde fuera podría tomarnos por tres colegas charlándose unos vinos al amor de la lumbre. Cuando terminó de zamparse las sardinas, la concejala abrió el bolso, sacó un paquete de tabaco y se metió un pitillo en la boca.

—Lo siento —dijo Genaro—, pero en mi casa no se fuma.

La concejala puso cejas de enfado y le dijo que entonces se saldría a la puerta a fumar, a lo que Genaro respondió que de salir de casa ya habíamos hablado bastante, que no era necesario que le recordase que a los ojos del mundo debía estar muerta, al menos un par de días.

—Pues, entonces, tú me dirás cómo lo hacemos, porque si piensas que voy a estar dos días encerrada en esta casa sin fumarme un cigarrillo es que no sabes con quién estás hablando. Si no fumo se me agria el carácter. Y te aseguro que no queréis verme de mal humor.

También en este duelo ganó la concejala. Genaro tuvo que tragarse sus manías y consintió que le apestasen la casa a tabaco. La concejala encendió el cigarro, le dio una larga, larguísima chupada y contuvo el humo en los pulmones durante tanto tiempo que Genaro y yo nos miramos como a la espera de la resolución de un truco de magia. Para ser justos, la verdad es que la señora arrojaba volutas de humo por la boca y por la nariz con mucha delectación y mucho estilo.

Con una cachaza que nos tenía que haber puesto sobre aviso si Genaro y yo no hubiésemos sido tan cándidos y majaderos, miró el reloj del móvil, apretujó la colilla en los restos del revuelto y dijo:

—¿Habéis oído, por un casual, que la iglesia anglicana quiere nombrar a Dios con el género neutro?

Genaro y yo no sabíamos dónde colocar los ojos. Por supuesto, ni teníamos idea de lo que nos estaba hablando ni sentíamos el menor interés por meternos en los asuntos de la iglesia anglicana. Pero la concejala siguió a lo suyo, con un desprecio absoluto hacia nuestro desconcierto.

—Me lo contó un compañero de partido y yo no daba crédito. Resulta que a los anglicanos les parece inapropiado que Dios sea varón. Nada de Él, ni Ella. De ahora en adelante lo llamarán Ello. Como lo oís. Un dios sin sexo y de género neutro. Se acabó lo del Padre Nuestro. Imaginad la cara que se le pondría a Miguel Ángel si le encargaran ahora pintar la Sixtina. Pero una cosa os digo, en cuanto los ingleses le den el visto bueno a esa chorrada, el resto de Europa va detrás.

Genaro, que había introducido el cuchillo en las brasas de la chimenea, sujetaba el mango del cuchillo y de vez en cuando miraba la labor del fuego sobre el hierro y luego volvía la vista hacia la concejala, que hablaba con una calma inusitada, impropia para las circunstancias. Yo intuía que lo de la iglesia anglicana era el preámbulo de algo de más jugo y que de algún modo no sabroso nos iba a salpicar a Genaro y a mí. Pero no tenía ni la menor idea de en qué momento se decidiría la señora a entrar en harina.

Encendió otro cigarro. Dio una larga, larguísima calada. Arrojó el humo en dirección a Genaro, por joder. Y acometió.

—Yo nunca he sido muy practicante, la verdad. Creer, creo, eso sí, que es gratis y, además, no hay motivos para pensar que nosotros somos más listos que nuestros antepasados, que llevan dos mil años creyendo y no nos ha ido del todo mal siguiendo su ejemplo, digo yo.

—¿Vas a decirnos de una vez a dónde quieres ir a parar con este lío de los anglicanos y del género neutro? —dijo Genaro.

—Perdona, hijo, creí que teníamos dos días por delante, no sabía que tuviéramos prisas. En fin, a donde quiero ir a parar es que el mismo compañero de partido que me dijo eso de los anglicanos me aconsejó que no desesperase, que no todo estaba perdido. Que no en todas partes reman a favor del lenguaje inclusivo, el matrimonio homosexual y todas esas zarandajas. Me invitó a que lo acompañara a Vistalegre a escuchar la charla de un evangelista brasileño, un tipo que al parecer tiene mucho predicamento en su tierra, amigo íntimo de Bolsonaro, y con fama de realizar sanaciones en directo. No tenía nada que perder y sí mucho que aprender, que las cosas que se ven y que se escuchan en sitios así luego vienen de perlas soltarlas en los mítines. En fin, que me decidí y allí que me presenté, acompañada, eso sí, de varios amigos y colegas. Y celebré mi decisión. Si no lo veo con mis propios ojos no lo hubiera creído. El Palacio de Vistalegre estaba hasta la bandera. Más de tres mil personas coreando las consignas de un anciano que no paraba de hablar de Dios y, sobre todo, del Diablo, al que hacía íntimo de los homosexuales y de los comunistas; un tipo que defendía que las mujeres no debíamos ir a la universidad y que aseguraba que las donaciones a su iglesia eran tenidas en cuenta por Dios a la hora de repartir parcelas de paraíso. Os parecerá de locos. Pero lo verdaderamente increíble es que la gente se volvía tarumba cada vez que aquel señor abría la boca. Se habló también, por supuesto, de milagros. Pero yo el único milagro real que vi fue a un señor que había salido de la nada y que, desde que montó ese chiringuito, había multiplicado su fortuna de una manera tan bestial que dejaba lo de los panes y los peces en una chapuza. La revista Forbes estima que su fortuna actual está por encima de los mil millones de dólares. Eso es prosperar, ¿no os parece? En solo unos años de ir por ahí predicando sandeces. Y yo, después de toda una vida dedicada al servicio público, me iba a jubilar con una miseria de pensión. Tuve que salir del recinto a fumar un cigarro porque me estallaba la cabeza solo de pensarlo. Y estando ahí fuera, cigarro en boca, se me acercó de nuevo el compañero de partido del que os he hablado antes. Me dijo que había unas personas que querían conocerme. Resulta que los hijos de unos antiguos conocidos de mi familia, dos chicos gemelos a los que no veía desde que eran unos críos, se habían hecho socios de un grupo inmobiliario internacional que tenía interés en ciertos terrenos municipales. Me ofrecieron un millón de euros a cambio de que yo hiciera el milagro de convertir esos terrenos rústicos en urbanizables. El lugar y el momento era el adecuado para pedir milagros, eso hay que reconocerlo. Me pensé la oferta. No mucho, todo hay que decirlo. El tiempo suficiente para convencerme de que yo no tenía por qué ser menos que el milagrero brasileño. Y llegamos a un acuerdo. Medio millón de señal y el otro medio cuando la recalificación estuviera firmada y publicada en el BOE. Fácil. Pero resulta que el tipo que tenía que hacer la entrega se demoró, mi recadero creyó que se había rajado, que la operación se había ido al traste, perdió la paciencia y se largó. Y entonces apareció un listo y se apoderó de mi dinero. Y aquí estamos.

12

Genaro se acercó a la concejala con el cuchillo en la mano. Amenazante.

—¿Qué estás tratando de decirnos?

—¿No he sido lo suficientemente clara para ti? ¿Tengo que deletreártelo?

—¿Me quieres hacer creer —intervino de nuevo Genaro—, que no hay sicario y que nuestro dinero es, en realidad, dinero de un soborno?

—Chico, para estar rodeado de tantos libros pareces un poco torpe. Claro que no hay sicario. Y ese dinero, para que lo sepáis, es mío. Así que...

—Yo a esta tía la mato.

Levantó el cuchillo y, si no llego a saltar yo sobre él, tal vez le hubiera rebanado el pescuezo. La concejala, lejos de amilanarse, sonreía y meneaba la cabeza como si acabara de escuchar un chiste con su punto de gracia.

Yo tenía agarrado a Genaro por las espaldas, pero él era más corpulento que yo, me dio un golpe con el codo que casi me tumba en el suelo. El porrazo no es que fuera gran cosa, pero para esos momentos yo ya odiaba a Genaro con toda mi alma, con un odio fresco y recién estrenado que estalló como una tormenta de verano, como un granizal.

Me arrojé sobre él y nos enzarzamos en una pelea que la concejala contempló con mucho regocijo y sin mover un músculo para separarnos. Mientras yo trataba de sortear lo mejor que podía la somanta de hostias que me lanzaba Genaro, escuchaba de fondo las risas de la concejala, primero suaves, como una tos perruna o como un coche flojo de batería tratando de arrancar. Luego explotó en una carcajada sonora que la obligaba a doblarse llevándose las manos al vientre.

Ya les gustaría a muchos profesionales del Club de la Comedia tener el éxito que nosotros teníamos ante aquella señora.

Acabé por desentenderme de Genaro y solo tenía ojos ya para la concejala. También Genaro comprendió el ridículo papel que desempeñábamos y detuvo los golpes, cosa que agradecí.

—¿Pero se puede saber de dónde salís vosotros dos? —dijo la concejala—. ¿Me puede explicar alguien cómo se puede alcanzar la edad adulta siendo tan imbéciles? ¿De verdad habéis podido creer que alguien pagaría un millón de euros por asesinarme? Estoy divorciada dos veces; cualquiera de mis exmaridos lo haría gratis.

—¿Por qué nos cuentas esto ahora? —pregunté yo.

—Porque no me apetecía que me rajaran el brazo con un cuchillo campero. Y porque los dos gemelos están de camino y no creo que tarden en llegar.

—Mientes —dijo Genaro—, es imposible que nadie sepa dónde estamos.

—Claro que lo saben, guapito de cara. Y saben que sois dos, que no sois policías, ni escoltas, ni lleváis armas.

—Anda, la hostia —exclamé yo—, esta señora nos la ha jugado. No hablaba con su madre.

—Mi madre murió en el ochenta, cielo. Y, para que lo sepas, les pasé la ubicación de esta pocilga mientras fingía buscar el correo de un periodista. Ya tienen que estar a mitad de camino. De modo que será mejor que uno de vosotros vaya a donde sea que escondéis el dinero y que esté aquí cuando lleguen esos señores, porque os advierto que no se han hecho ricos dejando que nadie les chulee un euro.

Hasta ese momento no caí en la cuenta de que ni la concejala ni Genaro sabían que el maletín estaba afuera, en la calle, helándose de frío en el maletero del Kia. Mantuve el secreto pensando que igual era una baza que podría usar en mi favor llegado el momento.

A Genaro le sangraba una mano.

Me asustó su cara.

Tenso, los labios contraídos y rodeados de arrugas, la mirada emitiendo un fulgor que parecía de acero líquido, como de ciborg de película. Apretaba los puños y la sangre le manaba de uno de ellos como si estuviera exprimiendo un trapo húmedo de pintura roja.

Acababa de perder medio millón de euros.

Cualquiera entendería su enfado.

—Así que solo eres un vulgar chorizo —le dijo a la concejala.

—No exactamente. Si lo miras de modo objetivo verás que yo no robo a nadie. Solo muevo la balanza a favor de unos empresarios y esos empresarios me gratifican por ello. Punto. Jamás he metido la mano en dinero público. Los chorizos sois vosotros que tratabais de robarme a mí.

—A mí no me mezcléis en vuestros rollos —dije yo—. Yo sí que no soy un chorizo. Ese dinero vino a mí de forma inesperada, me pilló en la peor situación de mi vida. Desempleado y desesperado. Si alguna vez me planteé quedarme con él fue por mi hijo, por mi mujer, por mi familia. Solo quería darles una vida mejor

—Como todos, no te fastidia el santón este. Yo también tengo una hija.

Silencio dramático.

Para la concejala fue, seguramente, una anodina frase más arrojada en su descargo, una réplica en defensa propia, de las muchas que debería tener en su repertorio. Pero yo la sentí como un escupitajo sobre la cara. Me dejó más tocado que los puñetazos y patadas que acababa de propinarme Genaro, que no fueron pocos. Me hizo entender qué fácil se nos hace justificar una mala acción cuando quien la comete es uno mismo. No había duda de que la concejala estaba hecha una pájara de mucho cuidado y que eso de que no había metido la mano en el puchero público no se lo creía ni ella. O igual sí. Igual era esta la primera vez que se decidía a dar un mal paso.

En realidad, me importaba un comino.

Lo que de verdad me inquietaba era haberme descubierto cometiendo un acto que me avergonzaba, haberme apoderado de un dinero que no era mío y luego rebozar el hecho con todas las justificaciones posibles. Igual que hacía ella. Tan corrupto era yo como ella, solo que yo, encima, lo adornaba con prejuicios morales, lo que, amén de corrupto, me convertía en un cínico de catálogo.

—¿Qué pasa si te devolvemos el dinero? —preguntó Genaro— ¿Qué garantías nos das de que no nos harán daño y que podremos continuar con nuestras vidas?

—¿Garantías? Ninguna. Yo no estoy en la cabeza de esos señores. Ni siquiera tengo mucho trato con ellos. Negocian conmigo a través de intermediaros. En realidad, la última vez que nos vimos sería por la época en que nos hicimos la foto esa que metieron en el maletín; la cual, por cierto, la enviaban como un gesto de amistad, para recordar tiempos pasados. En fin, garantías por su parte no puedo daros. Pero sí os garantizo que yo intervendré en vuestro favor. Después de todo, solo sois gilipollas, pero vuestra intención era buena.

—Eso no puedes dudarlo ni un segundo —dije yo—, la intención fue siempre buena. Solo queríamos ayudarte.

—Usaremos eso en vuestro favor. Por otro lado, hasta donde yo sé, son gente de negocios; negocios turbios, tal vez; pero no asesinos. Dicho lo cual y, por si acaso, yo no tentaría a la suerte y procuraría tener el dinero sobre la mesa para cuando ellos llegasen.

—Iré a por el dinero —me ofrecí yo.

—De aquí no sale nadie. Llama a tu mujer y que lo traiga ella —dijo la concejala.

—Ni lo sueñes. A mi mujer no la metas en esto.

—Estoy de acuerdo —dijo Genaro—, no involucremos a su mujer

Silencio dramático.

—Como queráis. Pero yo que vosotros me daría prisa.

Me puse la cazadora y me despedí de Genaro sin palabras, con una mirada rencorosa. Arranqué el coche y me alejé de la casa un par de quilómetros, tras los cuales me detuve en un arcén y apagué las luces.

—¿Y ahora qué coño vas a hacer, Montana?

13

Confieso que por mi cabeza pasaron las ideas más desatinadas. Irme directamente al aeropuerto, mandarlo todo al carajo, desaparecer con el medio quilo. ¿Y qué sería de Andrea? Anda y que se las apañara con su novio. Los celos y el miedo y la rabia no me permitían pensar con claridad. Me sentía el más desdichado de los hombres. En una misma noche había perdido al amor de mi vida y a mi mejor amigo. A mi único amigo. Tenía quinientos mil euros y nadie con quien compartirlos. Ni siquiera podía pensar en llamar a mi hijo, que andaría en su habitación, frente al ordenador, perdido entre videojuegos y ni se molestaría en descolgarme el teléfono. Si alguna vez hubo un hombre que se sintiera solo, desgraciado y abandonado, ese era yo.

Bajé del coche y me puse a caminar por la carretera, bajo la luz de la luna.

Y ahí estaba ella, redonda, brillante y joven, como si por ella no pasaran los años. En ese trance debí parecerme al personaje del cuadro de Vito Cano, un pequeño bobalicón mirando la inmensidad del horizonte mientras la luna lo observaba todo con inmortal indiferencia.

Me acordé de mi abuelo.

Me pareció que desde algún lugar del infinito me miraba con aquellos ojos suyos, pequeños y oscuros, y que me hablaba como entonces solía hacerlo, en ese tono en el que nunca nadie ha vuelto a hacerlo, con la voz con la que se habla a las personas a las que se querrá por encima de cualquier defecto y saltando sobre cualquier tara.

Sonreí.

Y de pronto supe lo que tenía que hacer. Me metí en el coche, di media vuelta y regresé a la casa de Genaro. Aparqué lejos, de modo que no me sintieran llegar. Entré en la casa, tan nervioso y asustado que creí que me delatarían los latidos de mi propio corazón. Pero la concejala arrojaba volutas de humo por la nariz, tan ricamente despatarrada en uno de los sillones orejeros, con la mirada perdida en el pedazo de cielo que se dejaba ver tras la ventana. Genaro estaba en la cocina, junto al fregadero, curándose una herida de la mano. Ninguno de los dos me sintió llegar.

Yo llevaba el maletín en una mano. Me fui directo hacia la chimenea, tomé el bote de líquido inflamable, lo vacié sobre el maletín y luego lo arrojé al fuego.

Cuando la concejala se dio cuenta ya era tarde.

—¡Qué coño has hecho!

Dio un brinco. Vino corriendo hasta mí, pero yo ya había agarrado el atizador y lo esgrimía como quien blande un sable. Se detuvo en seco. Genaro salió de la cocina y preguntó qué leches estaba pasando.

—El gilipollas de tu amigo, que ha arrojado el maletín a la chimenea.

Genaro también amagó con acercarse a la chimenea y rescatar al maletín del fuego, pero le apunté con el atizador y le dije:

—Al primero que se acerque, le reviento los sesos.

A mis espaldas, el cuero del maletín crepitaba. Pronto prendieron también los billetes de su interior y el salón entero se iluminó de un color rojizo la mar de bonito. Y de un olor no tan agradable, que todo hay que decirlo. Me hacía gracia pensar que el culo se me estaba calentando con unas llamas que me habían costado medio millón de euros. Contra todo pronóstico, no me producía tristeza. Era liberador y, en cierto sentido, eufórico, como una borrachera. La concejala volvió a sentarse. Sacó otro cigarrillo. Decididamente, esa señora tenía un carácter.

—¿Has pensado qué le vas a decir a los dueños del maletín?

—No. No lo he pensado.

—Pues yo que tú le iría dando una vuelta, porque estarán a punto de caer.

—Me da igual. Que vengan y que me peguen un tiro si quieren. Allá ellos. Al menos moriré con la conciencia tranquila.

—¿Acabas de quemar medio quilo? ¿Tú eres tonto o qué coño te pasa, Montana? —dijo Genaro.

—Un filósofo de la antigüedad dijo que la conciencia tranquila es síntoma de mala memoria —dijo la concejala.

—No fue un filósofo, fue el calvo de Les Luthiers —apostilló Genaro.

—A callar la puta boca —grité yo—. Me dan igual vuestras frases y vuestras salidas para todo. ¿Os hablo yo acaso de los jaredies? ¿A qué no? Pues a callar todo el mundo.

Señalé el orejero con el atizador y le dije a Genaro que se sentara. Por primera vez en mucho tiempo, Genaro, aunque a regañadientes, obedeció una orden mía

—¿Por qué haces esto, Montana? —dijo Genaro—. Pensé que ya no volverías. Y te juro que habría entendido si te hubieras largado con el dinero. Habría comprendido que cogieras a tu mujer y a tu hijo y desaparecierais, pero esto que has hecho no tiene ningún sentido.

—Acaso para ti no lo tenga. Y es posible que, para mí, hace unas horas, tampoco. Pero ha sido escucharle a esta señora decir que aceptaba el soborno por el bien de su familia y se me ha venido el mundo a los pies. Yo me aplicaba la misma excusa para acallar mi conciencia. Pero ni mi abuelo ni mi padre necesitaron rebajarse al robo para mantener a su familia. Y son los hombres que más he admirado en mi vida ¿Por qué tenemos tú y yo que echarlo todo a perder ahora?

—Porque nunca hasta ahora se nos había presentado la ocasión, Montana. Hemos sido siempre dos mindundis, dos desgraciados. Y para una vez que nos sonríe la suerte, vas y lo arruinas.

—Tú lo has dicho, la suerte. Si nos hubiera tocado la lotería, o una herencia, o incluso ese premio literario del que hablabas el otro día, pues no necesitaríamos darle más vueltas. Un golpe de suerte en toda regla. Esto es otra cosa, Genaro. Pero esto no es suerte. Es vender el alma al diablo.

—No me jodas, Montana, que ahora también crees en el diablo.

—Es un decir. Tú me entiendes. Se me acercó un tipo en el Retiro; no era el diablo, pero, para el caso, como si lo fuese. Me tentó y yo sucumbí. Luego fui yo a tu casa, te tenté, y sucumbiste conmigo. Y no imaginas cuánto me arrepiento. Quisimos disfrazarlo bajo el manto de una buena acción. Salvar a la concejala. Pero, admítelo, en el fondo, lo que nos movía eran los quinientos mil euros.

—¿Y qué hay de malo en eso?

—Pues que hemos acabado aquí. Esperando a que unos matones decidan qué hacer con nosotros. ¿Te parece poco?

La concejala fumaba mientras nos escuchaba arrojarnos a la cara nuestras ridículas, pero sinceras reflexiones. Había algo de maléfico en el modo en que arrugaba los labios, se llevaba el cigarro a la boca y arrojaba el humo por la nariz, con aquella serenidad capaz de sacar de quicio al más templado, aquel esbozo de sonrisa en la comisura de los labios y un brillo pícaro en los ojos, como si estuviera disfrutando a rabiar con nuestro suplicio.

—Confieso que he pensado en largarme con el dinero. Dejarte aquí, a tu suerte. Incluso he pensado en abandonar a Andrea y Fernandito. Que le den por culo a todo, me dije. Pero tú me conoces, Genaro; sabes que ese no soy yo. He parado el coche porque la cabeza me ardía. Me he bajado a pasear, a que el aliento se me sosegara, porque me costaba hasta respirar. Y entonces he pensado en mi abuelo. Él siempre tenía una palabra amigable para mí, siempre encontraba el modo de tranquilizarme. Recordé que en una ocasión estaba yo llorando por no sé qué asunto y él se sentó a mi lado y me dijo...

—Por favor, Montana—, me interrumpió Genaro— no me irás a soltar ahora una batallita de tu abuelo. Un poco de consideración, por favor, que no es el momento.

Yo levanté el atizador y le dije que si volvía a interrumpirme le rompía la crisma, que llevaba toda la vida soportando sus historias y sus pedanterías sin rechistar, que si el vicepresidente tal, que si el pulgar cual, que si su puta madre. Y yo calladito y escuchando siempre. Pero ahora le tocaba a él escuchar lo que me saliera a mí del caletre. Así que, si me apetecía hablarle de mi abuelo, pues no le quedaba otra que fastidiarse y tragar.

—Una vez mi abuelo me vio muy triste y apurado por no sé qué problema. Se sentó a mi lado y me dijo que cuando un problema lo agobiaba a él, solía recurrir al truco del cine mudo. Le pedí que me explicara. Es fácil, me dijo. Piensa en cualquiera de esas películas de Charlot o del Gordo y el Flaco. Imagina una escena, cuanto más populosa mejor. Muchos hombres y mujeres paseando por las calles de New York por ejemplo. Cada cual a sus asuntos, con sus alegrías, sus cuitas y sus propios problemas. ¿Y dónde están ahora todos esos hombres y mujeres? Muertos todos ¿Qué ha sido de sus problemas? Se esfumaron con el viento. ¿Qué les dirías si pudieras meterte dentro de la pantalla y hablar con alguno de esos hombres o mujeres? Que fueran listos, que no dejaran que ningún problema les amargara la vida porque, en realidad, ya estaban muertos.

Esta historia, la verdad sea dicha, sonaba mejor en mi cabeza y, al terminar de contársela a Genaro, me di cuenta de que las alas nasales se le dilataban como cuando uno trata de contener un bostezo o unas risas. Pero yo no dejé que su arrogancia me derrumbase. Después de todo, el que tenía el atizador en la mano era yo.

—El caso es que antes, cuando me bajé del coche y paseaba bajo la luna, me di cuenta de que mi abuelo tenía razón. Estamos muertos, Genaro. Y si no lo estamos aún, lo estaremos pronto. Como los personajes de las películas de Charlot. Y no quiero que mi película acabe así. Siendo un vulgar ladrón. Con este nudo en la garganta. Tenía que volver aquí, por varios motivos. El primero, para quemar ese dinero y demostrarme a mí mismo que no todos somos iguales, que no voy a seguir justificando una mala acción solo porque me beneficia. El segundo, para decirte que te perdono. Entiendo que te enamoraras de Andrea, cómo no lo voy a entender si es la mujer más maravillosa del mundo. Incluso podría entender que ella también sintiera algo por ti. Por qué no. Eres más guapo que yo y, aunque tienes tus cosas, eres un buen hombre. Lo que me cuesta perdonarte es que me engañaras, que no me consideraras lo suficiente amigo como para confesarme tus sentimientos. Pero hasta eso quiero sacarlo fuera de mí. He venido aquí a arrojar al fuego todos mis demonios. Si tengo que morir, no lo haré como un cobarde ni con la conciencia sucia.

Genaro se levantó de la silla, emocionado, y vino hacia mí con los brazos extendidos, diciéndome, gracias, Montana, eres un verdadero amigo, pero coloqué el atizador entre él y yo y le dije que volviera a sentarse, que una cosa es que le perdonara y otra muy distinta que volviéramos a ser amigos, que ese jarrón estaba roto y ya no había modo de recomponerlo.

Se sentó.

Tenía los ojos húmedos y un gesto de sincera tristeza que me pareció que hasta le favorecía, al muy capullo. La concejala se lo comía con los ojos. Entonces, unas luces de coche se colaron por las ventanas y se escuchó el ruido de un motor deteniéndose frente a la casa. La concejala apagó el cigarro, se sacudió las faldas y atusándose el pelo se dirigió hacia la puerta.

—Son ellos. Los gemelos. Os deseo suerte, chicos. Os va a hacer falta.

14

Antes siquiera de que picaran en la puerta ya les había abierto la concejala y los recibía con sonrisa digna de estamparse en un libro de contabilidad. Entraron dos hombres de idéntica altura, idénticos de rostro, de trazas y de vestimenta idéntica. Llevaban abrigos de piel de borrego marrón que les llegaban hasta los tobillos. Desde lejos se notaba que eran abrigos de lujo, por la textura espumosa de la lana y porque, aunque los dueños se movían con soltura, los abrigos parecían moverse a ritmo propio, a cámara lenta, con coquetería de prenda fina. Los zapatos no eran para contarlos sino para verlos, unos mocasines sin cordones, de terciopelo a juego con el abrigo y con filigranas de cristal incrustados, como esos donuts a los que bañan por encima con virutas de caramelos de mil colorines.

A golpe de vista, entre abrigo y zapatos, llevaban encima mi sueldo de un quinquenio.

Uno de ellos se detuvo junto a la concejala.

—¿Estás bien?

—Sí, perfectamente.

—¿No te han hecho daño?

—No, qué va. Todo ha sido un malentendido.

—¿Un malentendido?

El otro gemelo permanecía de pie, rígido, sin quitarnos la vista de encima. Luego se fijó en el cuadro del salón y se colocó delante, a mirarlo con ojos voraces. Los años no habían sido complacientes con ellos; si en la foto me parecieron dos querubines traviesos, ahora parecían dos matarifes rusos salidos de una película de los años de la guerra fría.

—¿Y mi dinero?

—El caso es que tu dinero nunca llegó a mí —dijo la concejala.

—No es eso lo que te he preguntado.

—Tu emisario se confundió y se lo entregó a la persona equivocada.

—¿A quién?

—A ese tipo de ahí.

El gemelo me clavó los ojos. Yo, por instinto y por miedo, dejé caer el atizador al suelo y me arrimé a Genaro, que no debía de estar menos acojonado que yo.

—Y bien, ¿dónde está mi dinero?

—Pues me temo que ya no existe.

—¿Qué quieres decir con que no existe?

—El gilipollas ese —dijo la concejala señalándome con los ojos— ha tenido un acceso de integridad y lo ha arrojado a la chimenea.

Ahí fue cuando yo comprendí que acaso mi gesto había sido excesivo. Habría bastado con arrojar un par de billetes de cincuenta al fuego. Mi intención simbólica se habría entendido igualmente.

Pero ya era tarde para arrepentirse.

Los gemelos, a la par, como si los pensamientos le nacieran de una sola cabeza, metieron las manos en los bolsillos, sacaron unos revólveres preciosos, que seguro que también valdrían un dineral, y se vinieron hacia Genaro y hacia mí con los rostros desencajados, como si en vez de quinientos mil euros le hubiesen achicharrado quinientos mil familiares íntimos.

Genaro y yo reculamos hasta donde nos fue posible.
—En el maletero del coche hay un rollo de plástico
—dijo uno de los gemelos a la concejala—. Ve a por él.
Genaro y yo nos miramos y creo que ambos fuimos
conscientes de que acaso lo hacíamos por última vez. No
sé qué pasaría por su cabeza, pero por la mía cruzaba un
vendaval de silencio, como si alguien ahí dentro hubiera
desconectado el sonido. Todo mi ser al completo estaba blo-
queado. Cerré los ojos. El gemelo apuntaló el caño de su
revólver en mi sien y empujó con fuerza, que parecía que
quería ahorrarse la bala matándome de una trepanación.
—Pensad bien lo que estáis haciendo —dijo la concejala—. Estos tipos no son nada. Solo un par de botarates.
—Da igual. Nadie que nos birla medio quilo se va de
rositas.
—Pero ya veis que no os lo ha robado. Lo ha quemado. No es lo mismo. Además, pensad que su familia sabe
que están conmigo. Si los matáis, habrá investigación, y
acabará salpicándome. Y si yo caigo...En fin, no merece
la pena.
Nunca me sonó tan dulce la voz de la concejala. Abrí
los ojos. Ante mí, la ventana. Al fondo, la luna. Redonda
y brillante, como un recuerdo de la infancia.
—Son solo quinientos mil euros —dijo la concejala—. ¿Qué es eso para vosotros? Conozco vuestras cuentas. El año pasado vuestras sociedades obtuvieron unos
beneficios por encima de los quinientos millones de euros. Medio millón es una gota en un océano.
—No se trata del dinero —dijo uno de los gemelos.
—Se trata del honor —dijo el otro.
—Claro que se trata de dinero —dijo la concejala—.
Siempre se trata de dinero. Es por lo único que estamos
los cinco bajo este techo.

Escuché cómo uno de los gemelos movía el seguro del revólver y amartillaba el percutor. El otro hermano, por supuesto, realizó el mismo movimiento. Con tal fuerza mantenía yo cerrados los ojos que me dolían los párpados. Sentí la mano de Genaro agarrarse a la mía y no le hice ascos. Morir agarrado a la mano de un examigo se me antojaba menos patético que morir solo. He escuchado mil veces decir que cuando uno se encuentra a las puertas de la muerte tiene pensamientos sublimes, recuerdos iluminadores. Nada de esto me ocurrió a mí. Estaba tan asustado que lo único que conseguía era rezar para que la muerte me llegara rápida y sin dolor.

—Escuchadme bien los dos —gritó la concejala—, el medio millón que han quemado esos hombres es mío. Vosotros no habéis perdido nada. Si alguien debería pegarles un tiro soy yo. Vosotros no tenéis derecho. Así que guardad esas armas y hablemos de negocios.

—Ya te hemos dicho que no es por dinero. Se trata de respeto.

—Lo entiendo. Ahora quiero que me entendáis vosotros a mí. Creo que también me merezco vuestro respeto. Mirad lo que he decidido: con el medio millón que arde en la chimenea os compro la vida de esos dos idiotas. Ya pensaré qué hago con ellos. Por lo demás, nuestro trato sigue adelante. Yo firmo la recalificación y vosotros me entregáis el medio millón que falta. Pero solo firmaré si guardáis ahora mismo las pistolas.

Los dos gemelos cruzaron unas miradas de entendimiento y volvieron a cerrar el seguro del revólver y a guardar las pistolas en los bolsillos de sus maravillosos abrigos de piel de borrego.

Uno de ellos se agachó y tomó el atizador de la chimenea y la emprendió a golpes con Genaro y conmigo.

Nos echamos al suelo, nos cubrimos la cabeza con las manos y brazos y de nada sirvieron nuestros gritos ni nuestras súplicas.

—Si volvemos a saber de vosotros, no habrá concejala que os salve.

Cuando terminó de sacudirnos me dolían hasta las uñas. Y, con todo, creo que Genaro escapó peor parado que yo, porque gemía y lloriqueaba que daba lástima escucharlo. Desde mi humillante postura pude ver cómo los gemelos y la concejala se aproximaban a la puerta y, antes de salir, uno de ellos le preguntaba a la concejala si estaba segura de que no supondríamos ningún problema.

—Si saben lo que les conviene, no volveremos a saber de ellos. No hay por qué preocuparse. Solo son dos botarates —fue su respuesta.

Cerraron la puerta y sonó el motor del coche.

Respirábamos aliviados cuando de pronto volvió a abrirse la puerta de la calle y entró uno de los gemelos. Escuché sus pasos acelerados. De nuevo el terror y los pensamientos lúgubres. Nos llevamos las manos a la cabeza, seguros de que volvía a rematarnos. Pero lo que hizo fue poner un pie sobre la espalda de Genaro y preguntarle que si era auténtico.

—¿El qué? —dijo Genaro.

—El Vito Cano.

—¿Quién?

—El cuadro, ¿es auténtico?

Genaro tardó unos segundos en reaccionar. El gemelo aplastó el mocasín con cristales incrustados contra sus costillas e insistió.

Genaro reaccionó.

—Sí, claro que es auténtico.

—¿Tienes el certificado de compra?

—¿El qué?

El inmobiliario meneó la cabeza, como sorprendido de lo fácil que puede ser engañar a los pobres, pero levantó el pie de los lomos de Genaro, descolgó el cuadro y salió con él bajo el brazo.

Permanecimos tendidos en el suelo un largo rato, incluso cuando el sonido del coche hacía tiempo que se había difuminado entre los diversos ruidos de la noche y nos convencimos de que ya no iban a volver y que, al menos de momento, estábamos a salvo.

Nos levantamos como pudimos, magullados, malheridos, pero felices de seguir respirando. Genaro dijo que creía tener alguna costilla rota y que le habían saltado todos los empastes de la boca y yo le dije que a mí plin, que todo lo que nos había pasado bien merecido lo teníamos.

Me sangraba una oreja y tenía los brazos y los costados llenos de mataduras. En cuanto me lavé las heridas me monté en el coche y salí de allí pitando. Desde la puerta Genaro me hizo señas para que me detuviera, que si lo iba a dejar allí tirado.

—Pídete un taxi —le grité.

Pero ni medio quilómetro llevaba recorrido cuando sentí lástima de él y me di la vuelta. Siempre he sido un flojo. En cuanto escuchó el ruido del coche salió a la calle. Le abrí la puerta del copiloto y le dije que entrara, pero que no quería escuchar ni una palabra en todo el viaje.

15

Apenas dejamos atrás Colmenar de Oreja, Genaro me miró
y me dijo:

—Montana, yo siento mucho que...

—Ni una palabra, Genaro. He dicho que ni una palabra.

Ni siquiera permití que enchufara la radio. Una hora
de reloj los dos solos hasta llegar a Madrid, en un largo y
dramático silencio, desmenuzando nuestros pensamientos, que no era poco lo que teníamos que pensar.

En las últimas veinticuatro horas había perdido a
mi mujer y a mi hijo, había reñido con mi amigo, los
había perdonado a los tres, había quemado una fortuna, me habían vapuleado, insultado, amenazado de muerte y perdonado la vida. Y ese no era aún el final de la
historia.

Me quedaba decidir cómo enfrentarme a Andrea.

Dejé a Genaro en la puerta de su casa. Nos despedimos sin un apretón de manos, sin un abrazo, sin una
puñetera palabra, que no entiendo modo más triste de
acabar una amistad de toda una vida.

Subí las escaleras de casa como quien sube los pel-
daños del cadalso. Cada escalón era un suplicio, un buscar en mi cabeza, sin encontrarlas, las palabras con las que
decirle a Andrea que lo sabía todo y que la perdonaba, que
nunca fui yo hombre de rencores ni de aguantar inquina a
nadie por mucho tiempo, pero que me tenía que entender

si le decía que algo se había roto aquí dentro y que no estaba muy seguro de si lo iba a poder reparar. Delante de la puerta permanecí un buen rato que si abro que si no abro. Andrea debió escuchar ruidos, porque abrió antes de que yo me decidiera a meter la llave en la cerradura, miró la pinta de *ecce homo* que llevaba su marido y se echó a mis brazos, llorando.

—Mírate cómo vienes, Montana, ¿Qué te han hecho?

Yo no le dije nada. Qué le iba a decir. Andrea me arrastró hasta el salón, me sentó en mi sillón de toda la vida y se fue a por algodón y agua oxigenada con que lavarme la sangre del oído.

Yo miraba mi propia casa con ojos de extraño, como si hiciera mil siglos que salí de allí. Todo me parecía nuevo y viejo a la vez, todo lo miraba con melancolía y con desapego. A lo mejor era por el golpe en el oído, que me había desequilibrado los sentidos.

—Dios mío, Montana, ¿por qué no me has cogido las llamadas ni contestado a mis mensajes? Seguro que podrías haberte ahorrado esto. He pasado una noche horrible.

Yo me dejaba lavar las heridas en un silencio y un estoicismo impropio de mí, que siempre fui melindroso. Pero había algo placentero en verla deshacerse en mimos, verter lágrimas de arrepentimiento, que me parecía muy reconfortante que por una vez no fuera yo el que las vertiera.

—Cuánto lo siento, Montana. Tienes que perdonarme. He sido una estúpida.

Yo asentía con movimientos lánguidos de cabeza, como si ya todo me diera igual en esta perra vida.

—No sé qué me pasó por la cabeza. Fue un pronto. Una mala decisión de la que me arrepentí casi en el mismo momento de realizarla.

Me encogí de hombros y le dediqué una triste sonrisa con la que venía a decirle que el arrepentimiento estaba muy bien, pero que llegaba algo tarde, treinta años tarde, para ser exactos.

De rodillas frente a mí, los ojos cuajados de lágrimas y algo fatigados en clara señal de no haber pasado una buena noche, el pelo le caía sobre la frente, la camisa algo abierta dejando entrever un pellizco de sus blanquísimas carnes. La verdad es que me pareció la estampa más hermosa que pudiera imaginar. Cómo no comprender que se enamoraran de ella. Lo que me costaba más comprender es que ella se montara en un Ferrari y no tuviera la delicadeza de decirme, mira, Montana, tú eres un buen hombre y un buen marido, pero una tiene sus debilidades y sus antojos.

—Mira, Andrea, no estoy enfadado. Solo estoy triste. Y necesito tiempo para asimilarlo.

Andrea me besaba los ojos y las manos, ternezas con las que me desarmaba.

—¿Por qué no me lo dijiste, Andrea?

—Ay, cariño, te prometo que no lo sé.

—Te habría perdonado.

—¿Crees que no lo sé? Pero sí me arrepentí en cuanto lo hice. Solo que, cuando te lo iba a contar, ya habías salido de casa. Y luego no has cogido mis llamadas.

—Ya. No te las he cogido hoy. Pero en treinta años creo que ocasiones te he dado para hablar conmigo.

—¿Qué dices de treinta años, Montana?

—Pues eso, que has tenido tiempo. Y no me habría tenido que enterar por Genaro.

—¿Genaro? ¿Qué tiene que ver Genaro en esto?

—No me hagas decirlo. Es muy doloroso, y creo que tú lo sabes bien.

—Pero tú de qué coño estás hablando, si puede saberse.

Me soltó las manos, se apartó de mí y me miró de esa manera con la que me mira cuando me sorprende orinando de pie.

—A ver, Montana, cuéntame qué os ha pasado, y mira que no te saltes ningún paso, que sabes que acabaré enterándome y la liamos.

Yo no tenía ni idea de por dónde meter mano a la historia de modo que el asunto de los celos no me estallara en la boca, como me estaba empezando a temer. Pero no hubo modo de eludir la confesión de Genaro ni mi estúpido gesto de quemar el maletín con el dinero, lo cual estuvo a punto de costarnos la vida a los dos. Cuando llegué a la parte en que Genaro desveló sus sentimientos y desató un torbellino de celos en mi pecho, no pude aguantar la emoción y me puse a llorar como un niño.

Andrea no movió un músculo.

Escuchó el relato sin abrir la boca, como si no fuera con ella la cosa. Sin acompañar a mi llanto con su llanto. Y eso es raro, porque ella es de lágrima fácil, que llora hasta con los videos de gatitos, que son de reír.

Cuanto concluí con mi historia permanecimos los dos mirándonos en silencio. Un silencio espeso y verde como una crema de espárragos, que a mí se me hace intragable.

—¿Has quemado el maletín?

Me molestó que eso fuera cuanto sacaba en claro de la odisea que le acababa de contar.

—He quemado el maletín, sí. Ya te lo he dicho. Como también te he dicho que casi me agujerean la cabeza por esa chulería, por si no lo has escuchado.

—¿Sin abrir?

—¿La cabeza?

—No, el maletín.

—¿Qué quieres decir?

—Que si antes de quemarlo miraste lo que había dentro.

—No me hacía falta. Sé perfectamente lo que había dentro, ¿no crees?

—¿Y los demás, lo sabían?

—Claro.

—¿Estás completamente seguro?

—Pero, ¿a qué viene esa perra con el maletín? Olvídate ya del maletín. Te he contado lo que Genaro me dijo sentir por ti y parece que rehúyes el tema.

—Yo te quiero con locura, Montana, pero a veces me pregunto por qué.

Se fue hasta el mueble del salón y abrió un cajón. Mi cajón.

—Ven aquí, idiota.

Me levanté e hice lo que me pedía. Me asomé al cajón. Decenas de fajos de billetes de cincuenta euros se desparramaban junto a los cables de los móviles estropeados. Los malditos quinientos mil euros estaban ahí, delante de mis narices, sin un solo chamuscón, como en un truco de magia que no era capaz de comprender.

Comencé a balbucir como un imbécil.

—Cuando me levanté de la cama antes que tú —dijo Andrea—, me quedé mirando al maletín y pensé que era una locura dejarte que salieras a la calle con ese dineral, que podrían asaltarte, o perderlo o qué sé yo. Y metí los billetes en tu cajón. Luego, en cuanto te vi salir por la puerta, me arrepentí. Pensé que si te presentabas delante de la concejala sin el dinero te ponía en un aprieto. Y te llamé para decírtelo. Pero tú ni me descolgabas ni me devolvías las llamadas.

Tuve que sentarme para asimilar el giro que tomaba la situación. Quería pensar, necesitaba pensar, pero la cabeza de nuevo se me convirtió en un bebedero de patos. Por fortuna, Andrea ya había pensado por mí.

—No era dinero limpio, Montana. Hacíamos mal en quedarnos con él. Pero creo que el fuego lo ha purificado.

—No te sigo, Andrea.

—Lo que quiero decir es que, como a todos los efectos el dinero se ha quemado, ahora el dinero está limpio, nos pertenece.

—Pero Andreíta...

—Es nuestro. Y punto.

—No sé yo, Andrea...

—Eso sí, lo gastaremos con precaución. Poco a poco. He visto un local en el barrio, muy mono. Conozco a los dueños. Puedo sacarlo a buen precio. Montaremos un pequeño restaurante. O un café elegante. Ya veremos. Algo en lo que podamos trabajar los tres, Fernandito, tú y yo. Y que con el sueldo se busque un piso y empiece a vivir como un adulto, que ya tiene edad.

Yo a todo decía que sí. Sonreía y decía que sí, como un lelo, como un botarate. Nos salimos al balcón, como hacíamos de recién casados.

La noche estaba espléndida, con una luna llena que iba tomando el color de la infancia.

—¿Andrea?

—Dime.

—Estoy pensando que el maletín pesaba como si estuviera cargado de billetes y ardió como si estuviera cargado de billetes.

—Supongo que sí.

—¿Qué había dentro?

—Papeles.

—¿Qué papeles?

—Esos periódicos viejos que llevan ahí metidos mil años.

—Por Dios, Andrea. No me digas que he quemado un autógrafo de Butragueño.

—Lo superarás, cariño.

Abajo sonaba el traqueteo del camión de la basura. Algunos vecinos aprovechaban para dar el último paseo del día al perro y al cruzarse se detenían a charlar de esto y de lo otro y sus voces ascendían hasta nosotros diminutas como limaduras de ceniza arrastradas por un viento juguetón.

Todo me parecía hermoso y efímero y ajeno, como si mirara una película de cine mudo.

—¿Andrea?

—Dime.

—Entonces, Genaro y tú…

Andrea me selló la boca con un beso y sus labios eran dulces como la caída de un telón en una comedia de mucho agrado. En el cielo lucía una luna redonda y brillante con manchas azules en la piel. La abracé con toda la ternura que es capaz un hombre con el amor renovado. Con el sentido del asombro renovado. Más dichoso, algo menos botarate.

¡Ssssssshhhhhhhhhhh!

Haz del teatro algo íntimo

Llévalo siempre en el bolsillo

Cubierta y diseño editorial: Éride, Diseño Gráfico
Dirección editorial: ángel jiménez

Primera edición: marzo, 2025

Botarates
© Florián Recio
© VdB, 2025
Espronceda, 5
28003 Madrid

VdB

ISBN: 978-84-19850-98-0
Depósito Legal: M-7679-2025
Diseño y preimpresión: Éride, Diseño Gráfico

Este libro protege el entorno

botarates

Florián Recio
(Almendralejo, 1962)

Es licenciado en Filología Hispánica y máster en Lexicografía Hispánica. Autor de dilatada carrera literaria como articulista en la prensa extremeña, novelista, varios libros de relatos y varias obras dramáticas representadas en _os escenarios extremeños, no fue hasta el año 2013 cuando se representó por vez primera un texto suyo en la arena del Teatro Romano de Mérida, esta adaptación de *Los gemelos*, de Plauto, a cargo de Verboproducciones –cuyo director, el veterano y prestigioso actor Fernando Ramos, encarnaría al personaje Marcos Primero–, y bajo la dirección de Francisco Carrillo, experimentado maestro en el arte de la comedia. El resultado fue una obra fresca, musical y divertida que se ganó el favor del público desde el primer minuto. Recibió, entre otros, el Premio Ceres del Público aquel mismo año.

Después de este éxito, Florián Recio regresó en otras ediciones del Festival de Teatro Clásico de Mérida, de nuevo bajo la férula de Verboproducciones y la dirección de Francisco Carrillo, con la adaptación de *El cerco de Numancia*, de Cervantes y la representación de la tragedia *Viriato*, texto original en el que se recrea la vida y la muerte del héroe lusitano.

En la 62 edición del Festival de Teatro Clásico de Mérida del año 2016, Florián Recio adaptó para la compañía Suripanta y bajo la dirección de Esteve Ferrer, el textc de Jorge Llopis. *Los Pelópidas*, divertidísima parodia del mundo clásico grecolatino que, como en las anteriores ocasiones, cosechó elogiosas críticas y el beneplácito del público.

FLORIÁN RECIO

botarates

Personajes

MONTANA
GENARO
CONCEJALA
ANDREA
FERNANDITO
ABUELO
CONSTRUCTOR
HOMBRE

2  3

Cuadro primero

MONTANA   (*Al público.*) ¿Qué le ha pasado a esta ciudad? Que alguien me lo explique, porque a mí no me alcanza... Yo antes la amaba. Lo digo en serio. Amaba a esta ciudad. Salía de casa a la par que el sol, echaba nueve, diez, doce horas detrás de la barra o sirviendo mesas, y como si nada, más alegre que unas castañuelas. Ponnos unas cañas, Montana —porque a mí todo el mundo me llama Montana—, y yo iba con mi bandeja cargada de cañas. Ponnos una de rabo de toro, Montana, o unos callos, y allá que iba yo con los callos, que la mayoría de las veces ni tenía que preguntar si los preferían picantes o a medio palo. Porque me conocía a la parroquia como al catón. Pero, de repente, no me preguntes cómo ni por qué, todo se fue al carajo. El barrio, me refiero. La ciudad, no sé si me explico. Teníamos que haberlo visto venir, claro. Por ejemplo, cuando cerró la vieja mercería, esa que, según contaban los dueños, llevaba allí desde los tiempos de Galdós, y pusieron en su lugar un taller de tatuajes. Ahí teníamos que haber levantado las orejas. Alguien tenía que haber alzado la voz y gritar: que viene el lobo. Pero no dijimos nada. Luego cerró el carnicero. Y en el local montaron una

barber shop. No una barbería: una barber shop, que es más cuqui, y más cara. Y ese fue el escopetazo de salida para el declive. Antes de que nos diéramos cuenta, el barrio se había llenado de tiendas de esas con la vaca de cartón piedra en la puerta, muchos restaurantes chinos, restaurantes coreanos, muchas empanadillas argentinas, mucho ramen, muchas arepas. Venga arepas y ramen. Venga vacas de cartón piedra. Hasta que un día, el rabo de toro y los callos y la tortilla de patatas pasaron a ser comida de paletos y de gente poco viajada. Ya no había sitio para nosotros en el barrio, ese mismo barrio donde yo llevaba trabajando desde que me salió el bigote. Llegó un momento en que Casa Emilio, el mesón donde yo trabajaba, se convirtió en el último garito del barrio. Asediados por barber shop y tatuadores. Parecíamos la resistencia. Por supuesto, me olía yo que lo de resistir no podía durar mucho al precio que están los alquileres y el recibo de la luz. Y con todo, cuando me llamó Emilio a un aparte, me pilló por sorpresa. Me dijo: mira, Montana, esto no da más de sí. Me extendió un talón con el finiquito, un apretón de manos y si te he visto no me acuerdo. A buscar curro. A mi edad. Como si fuera fácil para alguien que no sabe tatuar, ni hacer empanadillas argentinas, ni mucho menos, cocinar ramen o arepas. Y, si soy sincero, en esos momentos no era el

ramen lo que más me preocupaba. Lo que
me provocaba un nudo aquí dentro era
pensar cómo le explicaba yo a Andrea, mi
mujer, y a Fernandito, mi hijo, que me había quedado sin trabajo. A mi edad. Qué
marrón. Así que decidí no decir nada. Al
menos de momento. Ya se me ocurriría
algo. Decidí salir de casa a la hora de siempre y regresar a las diez o las once de la
noche, como había hecho toda mi vida.
Solo que ahora, en vez de a Casa Emilio,
me metía en cualquier boca de metro, bajaba en la estación que me daba la gana y
me ofrecía por los bares como camarero
con dilatada experiencia y nivel medio de
inglés. Esto del inglés es mentira cochina,
pero yo lo decía igual, por si colaba. Pero
nunca coló. Y así estuve varios días. Hasta que la bola en el estómago se me hizo
tan grande, tan pesada que ya no sabía qué
hacer con ella. Me puse a dar vueltas por
el Retiro como un lunático. Hasta que os-
cureció y desaparecieron los ciclistas, los
músicos callejeros, las mamás con los niños, los recogedores de cacas de perros.
Definitivamente, no podía seguir así. Tenía que contárselo a Andrea. Pero ya. Busqué una salida del parque, pero en esas vi
a un tipo que desalojaba un banco alejado
de las farolas, medio oculto entre los arbustos. Me pareció el lugar idóneo para un
triste. Ni me lo pensé. Me senté a aclarar
las ideas. A buscar las palabras precisas

con las que minimizar los daños. Pero, lejos de eso, lo que conseguí fue deprimirme más aún. A mí lo de pensar nunca se me dio bien, la verdad. A los dos minutos estaba llorando como un bebé. Y, oye, qué bien que me sentaban a mí aquellas lágrimas.

(MONTANA *se ha sentado. La cabeza entre las manos. Llora. De entre las sombras aparece un tipo, todo vestido de negro, con gorro y el cuello de la gabardina levantado, como en las películas de gánster. Lleva un maletín en las manos. Habla con familiaridad, pero bajito, a lo confidente.*)

HOMBRE Disculpa el retraso. Pensé que no llegaba. El puto coche me ha vuelto a dejar tirado. He tenido que pillar un taxi. Y para más inri, el taxista era un paquistaní con el que no había manera de entenderse. (MONTANA *no sabe qué decir. A toda prisa, se pone las gafas de sol, para ocultar los ojos enrojecidos e hinchados por el llanto. El tipo pone el maletín en el banco, en medio de los dos. Con la punta de los dedos lo empuja hacia* MONTANA.) Ahí tienes. Lo convenido. (*A* MONTANA *no le sale la voz del cuerpo. Mira sin saber qué decir ni qué hacer. Sospecha que se trata de algún tarado o de alguna clase de broma. El* HOMBRE *se levanta, se sacude las traseras de los pantalones con dos sonoros manotazos.*) Ahí van los quinientos mil euros. Cuando vea en los papeles que todo

ha salido según lo apalabrado, volvemos a vernos aquí, en el mismo sitio y a la misma hora, y recibirás la otra mitad.

(*Desaparece entre las sombras y deja a* MONTANA *con un palmo de narices.*)

MONTANA   (*Al público.*) Juro que así fue como ocurrió. Yo no sé qué habría hecho otro en mi lugar, pero yo me pasé varios minutos mirando el maletín, sin tocarlo, aguardando a que el tipo volviera y dijera, usted perdone, me he equivocado, lo he tomado por otra persona. Pero no volvió. Así, pues, cogí el maletín. Lo palpé. Me daba cosa abrirlo. Algo me decía que si presionaba el cierre metálico ya no habría vuelta atrás. Total, que si sí, que sí no, al final pudo más la curiosidad que el miedo. Y abrí el dichoso maletín. Dentro una foto. (*Muestra la foto al público.*) Una mujer de unos veinticinco o treinta años, rubia, pelo corto, abrazada a un niño que sacaba la lengua a la cámara con el gesto gamberro de los diez años. Y debajo de la foto, quinientos mil euros. Uno detrás de otro. (*Cierra el maletín de un golpe.*) Lo primero que pensé fue, qué pedazo de ramen voy a montar en el barrio…Luego, me fui a casa.

Cuadro segundo

Casa de Montana *y* Andrea. Andrea, *sentada en la mesa, con los vasos y platos de la cena puestos, esperando al marido.*

Andrea   Vaya horas.

Montana   (*No se le da bien mentir.*) Hubo avería en el grifo de cerveza y me quedé hasta que lo repararon.

Andrea   Traes mala cara.

Montana   Puede ser. Igual he pillado algo.

Andrea   Tienes la cena preparada. Come antes de que se enfríe. Yo ya cené. Echa los platos en el fregadero cuando acabes. Te espero en la cama.

(Andrea *da un beso en la mejilla a su marido y se pierde en la oscuridad.*)

Montana   (*Al público.*) Andrea se fue a la cama. Ya se había tomado su dosis diaria de lorazepán y se le caían los párpados. Fui a la cocina. Metí el dinero en una bolsa y lo escondí en un cajón del mueble del salón donde

suelo guardar mis cosas, facturas, viejos cargadores de móviles, dibujos de cuando Fernandito era pequeño, y algunos ejemplares del Marca que tienen un significado especial para mí: la portada con los cuatro goles de Butragueño a Dinamarca, la paliza de España a Malta, algunos ejemplares con las últimas Copas de Europa del Real Madrid, el último partido de Raúl en el Bernabéu. En fin, cosas mías. La foto de la rubia y el niño la metí entre las páginas de una Biblia que no se abría desde la comunión de Fernandito. Y así di por resuelta la operación camuflaje y me fui a la cama. (MONTANA *sale. Queda la escena desierta. Unos segundos. Al cabo de los cuales sale de nuevo* MONTANA, *inquieto, en pijama.*) Ni un minuto dormí. ¿Quién podría haber dormido teniendo todo ese dinero ahí fuera? No podía quitármelo de la cabeza. Sabía que no era trigo limpio, pero tampoco tenía claro que hacer con él. Devolverlo era una posibilidad, pero ¿a quién? ¿A la policía? ¿Volver al Retiro, dejarlo en el mismo banco y olvidarme del asunto? ¿Quedármelo yo y rehacer mi vida? Abrí el cajón. Allí estaba el medio kilo. Me entró el pánico. Temía que Andrea, por un casual, le diera, justamente aquel día, por enredar en los cajones. Aún no estaba preparado para enfrentarme a un tercer grado. (MONTANA *mete el dinero de nuevo en el maletín.*) Y, en cuanto salió el sol, otra vez a la calle. A fingir

que buscaba trabajo. (*En la calle. Saca el teléfono. Marca un número.*) Genaro, soy yo; ¿dónde andas? (*Al público.*) Genaro es mi mejor amigo. Es repartidor de cervezas, pero tiene un coco que ya lo quisieran para sí más de cuatro catedráticos. (*A* GENARO.) Coño, que no me acordaba que hoy era tu día de descanso. Genial que estés en casa, porque tenemos que hablar. No, no puede ser en un bar. Necesito algo más íntimo. Sí, es algo serio, la hostia de serio. Vale, pillo unos churros y me voy para tu casa. (*Al público.*) Y así fue como, en vez de a Casa Emilio, acabé en la casa de Genaro.

Cuadro tercero

Casa de GENARO.

GENARO A ver, qué es eso tan importante que tienes que contarme.

MONTANA ¿Tú te has planteado alguna vez qué harías si de pronto te vieras con, no sé, cien mil euros, por poner una cifra?

GENARO Tampoco es que sea una cifra como para tirar cohetes.

MONTANA Vale, pues pongamos doscientos mil euros.

GENARO Montana, perdona que te diga, pero es que eres pobre hasta para soñar.

MONTANA Me cago en todo, Genaro, que solo es un suponer; un maldito juego; pero, está bien, imagina, entonces, que te caen del cielo quinientos mil euros.

GENARO Esa es ya una cifra interesante.

MONTANA ¿Quieres responder de una vez a la pregunta?

GENARO   A ver, ¿quinientos mil euros, has dicho?

MONTANA   Exacto.

GENARO   ¿Son un premio de la lotería?

MONTANA   No tiene por qué.

GENARO   ¿Una herencia?

MONTANA   No, nada de herencias.

GENARO   ¿Un premio literario?

MONTANA   No ¿Un qué...? ¿A qué viene eso? ¿Cómo íbamos tú o yo a ganar un premio literario?

GENARO   No sé, me has dicho que imagine.

MONTANA   Imagina algo más sencillo, coño, y no me vuelvas loco. Imagina, por ejemplo, que te lo has encontrado en un parque.

GENARO   ¿Y eso es más sencillo? ¿Encontrar medio kilo en un parque? No sé en qué mundo vives tú, pero en el mío la gente no va por ahí...

MONTANA   Maldita sea, Genaro, ¿coño, qué más da de dónde vengan? Tú solo tienes que imaginar que de repente tienes en tu bolsillo quinientos mil euros. Limítate a eso, y no me jodas.

GENARO — Es que es importante saber la procedencia. Hay que pensar en hacienda. Los impuestos, no sé si te suena la palabra.
No es lo mismo que te toque la lotería que recibir una herencia o que hayas ganado el premio Planeta, por decir algo. El tipo de gravamen es muy diferente para cada caso, no
sé si me explico.

MONTANA — (*Al público.*) Yo lo quiero mucho, pero hay
momentos en que le daba así con el male-
tín y me quedaba tan pancho. (MONTANA
abre el maletín y muestra el dinero. GENARO
se queda boquiabierto. Al público.) Ahora sí
había captado su atención. Y le conté con
pelos y señales lo que me había sucedido.

GENARO — Y dices que no pudiste verle la cara.

MONTANA — Estaba oscuro como boca de lobo.

GENARO — ¿Crees que lo reconocerías si lo vieras entrar en Casa Emilio?

MONTANA — Te recuerdo, Genaro, que el bar ha cerrado.

GENARO — Es un poner, coño, Montana. No seas tiquismiquis. En Casa Emilio, en la calle, en
la cola del Mercadona, ¿lo reconocerías?

MONTANA — No. Ya te he dicho que fueron un par de
minutos. No más. Y estaba tan oscuro que
me costaba verme mis propias manos.

GENARO	Entonces no entiendo cuál es el problema. Si tú no lo conoces a él y él no tiene modo de reconocerte a ti, no hay forma de que nadie pueda reclamarte nada.
MONTANA	Ya. Pero hay algo en todo esto que no me gusta. Tengo una sensación rara. Un mal presentimiento.
GENARO	Tú lo que estás es cagado de miedo.
MONTANA	Eso también. ¿Es que tú no lo estarías?
GENARO	No lo sé. Nunca he ido a llorar al Retiro.
MONTANA	Mira, si no vamos a hablar en serio, me voy y ya decidiré yo solito qué leches hago con el medio kilo.

(GENARO *se levanta. Pasea, meditativo.*)

GENARO	¿Te he hablado alguna vez del caso Dan Quayle?
MONTANA	Genaro, ¿en serio? ¿Tú crees que es momento para tus historias?
GENARO	No solo es el momento, Montana, es el mejor momento. Escúchame con atención, porque igual sacas algo de provecho de la experiencia ajena. Y no te hablo de la experiencia de un cualquiera. Te hablo de un vicepresidente de los Estados Unidos de

América. Ahí es nada. Me refiero a Dan Quayle, vicepresidente durante el mandato de George Bush padre. Un tipo que tenía todas las papeletas para haber sido el siguiente presidente de los Estados Unidos. Y si no llegó a serlo fue porque no supo tener la boquita cerrada. Verás. La cosa ocurrió de la siguiente manera. Corría el año noventa y dos. O tal vez fuera el noventa y uno. Da igual. El caso es que este hombre, haciendo campaña electoral, le tocó visitar un colegio en New Jersey. Celebraban ese día un concurso de deletreo. No sé si sabes en qué consiste.

MONTANA   Claro que sé, he visto películas.

GENARO   Entonces me ahorro explicaciones.

MONTANA   Eso ya lo veremos.

GENARO   El caso es que le ofrecieron al tal Quayle una serie de cartas con una palabra escrita en cada una de ellas. Leyó una. Patata, que en inglés es «potato». La prueba consiste en que él dice la palabra y algún alumno tiene que ofrecerse a escribirla correctamente en el encerado.

MONTANA   Sabía que al final me encasquetabas la explicación.

GENARO   Por si no te quedaba claro. La cuestión es que un alumno levantó la mano, salió a la pizarra y escribió «potato». Hasta ahí todo perfecto. Pues bien, y aquí viene el punto que a ti te interesa escuchar y en el que debes aplicarte el cuento. Resulta que al señor Dan Quayle, vicepresidente de los Estados Unidos de América, no se le ocurre otra cosa que abrir la bocaza y decir «huy, por poco lo consigues», le quitó la tiza al crío y añadió una e al final de la palabra. «Potatoe», escribió el muy cretino. Y de este modo, él solito, se descubrió ante los ojos de todo el país como un genuino y completo ignorante. Por supuesto, ahí acabó su carrera política. (*Unos segundos de silencio.* MONTANA *mira a* GENARO *sin saber qué decir.*) Y bien, ¿qué nos enseñó el bueno de Dan Quayle? (MONTANA, *irritado e impaciente, se encoge de hombros.*) Que la mayoría de las veces nos metemos en un lodazal por no mantener la boquita cerrada. Que es justo lo que te va a pasar a ti si vas por ahí cacareando el asunto ese de los billetes que te han caído del cielo. Hazme caso. Haz lo que debió haber hecho el vicepresidente Quayle. Cierra el puto pico.

MONTANA   Muy instructivo. Gracias por el consejo, Genaro. Pero lo que ahora necesito es tomar aire, pensar en soledad, aclarar las ideas.

(*Cierra la cartera.* Genaro *se funde en la os-curidad, dejando solo a* Montana *en escena. Suena el teléfono. Un mensaje de voz.*)

Fernandito   (*Voz en off.*) ¿Qué coño has hecho, papá? Ven a casa en cuanto puedas. Mamá no para de llorar. No sé qué le has hecho, pero esta vez la has jodido pero bien.

Oscuro.

Cuadro cuarto

Casa de MONTANA.

MONTANA   ¿Qué ocurre, Andrea? (*Silencio.* ANDREA *tiene un pañuelo de papel en la mano y se lo lleva de vez en cuando a los ojos.*) ¿Estás bien, cariño? (*Ni pío. Un silencio de iglesia.*) Háblame, por favor. Dime qué te pasa.

ANDREA   Lo que pasa es que eres un cabrón. Un hijo de puta mentiroso.

MONTANA   Cálmate, cariño, y hablemos las cosas de modo civilizado.

ANDREA   Que se calme tu puta madre.

MONTANA   No seas vulgar, Andrea, que no es tu estilo.

ANDREA   Pues, mira, hoy hablo como me sale del coño, ¿te parece buen estilo ese?

MONTANA   Bueno, creo que será mejor que me vaya y que regrese cuando te hayas calmado.

(ANDREA *se da la vuelta, se seca los lagrimales con el pañuelo.*)

ANDREA   Mi madre me ha llamado. Dice que se ha pasado por el restaurante y que lo ha encontrado cerrado, con un cartel de *se alquila* en la puerta.

MONTANA   (*Al público.*) Su madre, claro. Otro misterio de la naturaleza, que no sé cómo esa mujer, que se pasa el día viendo series turcas, encuentra tiempo para enterarse de todos los chismorreos de Madrid.

ANDREA   He llamado a Emilio y me lo ha confirmado. No podía creérmelo. Dos semanas, Montana. Catorce días desde que cerró el restaurante, y yo como una boba, sin enterarme.

MONTANA   Verás, Andrea, deja que me explique. Yo...

ANDREA   No me interrumpas. Me he preguntado por qué no me has dicho nada, qué motivos podrías tener para ocultarme una cosa así. Luego he pensado en tu comportamiento. Tan raro. Levantarte por la mañana como si nada. Volver a la noche fingiendo que todo seguía igual.

MONTANA   Necesitaba pensar, yo...

ANDREA   Dónde coño te has metido. Qué has estado haciendo todo ese tiempo. Esa idea me volvía loca. Mi instinto me decía que algo me estabas ocultado. Y entonces he revuelto toda la casa en busca de una prueba.

Hasta que he dado con esto. (*Muestra la fotografía de la rubia con el niño de la lengua fuera.*) ¿Cómo has podido hacerme algo así? ¿Cómo has tenido los santos huevos de mirarme a la cara todos estos años y quedarte tan fresco? ¿Y Fernandito, es que no se te cae la cara de vergüenza cuando miras a tu hijo? ¿Qué pensará mi pobre niño cuando descubra qué clase de monstruo tiene por padre?

MONTANA   Andrea, estás sacando las cosas de quicio.

ANDREA   ¡Qué tonta he sido! Casi treinta años estirando el céntimo; regateando las vacaciones, que llevamos veinte años veraneando a tu pueblo, a casa de tu primo, por ahorrarnos el hotel; remendando los vestidos; treinta años comprando fletán en vez de merluza, porque pensaba que el sueldo de mi marido no daba para más, y ahora resulta que el muy cabrón mantiene a dos familias.

MONTANA   ¿Qué dices de dos familias?

ANDREA   Ahora me explico por qué ya no me deseas.

MONTANA   ¿Pero tú te estás escuchando, Andreita? ¿Quién ha dicho que no te deseo?

ANDREA   Montana, no me hagas hablar, que antes hacíamos el amor a diario.

MONTANA   Cariño, antes yo me peinaba con la raya al medio y ahora, mírame, más entradas que el Bernabéu. El tiempo todo lo muda, y puede que la pasión no sea la misma, pero yo te amo igual que el primer día. Más que el primer día.

ANDREA   Y una mierda. Mentiroso.

MONTANA   ¿Te has vuelto loca, Andrea?

ANDREA   Sí, eso tiene que ser. Debo de estar loca y ciega para no haber visto antes quién eres en realidad.

MONTANA   Cierra la boca, mujer, y no te pongas más en evidencia. Te equivocas de cabo a rabo. Yo a esa señora no la conozco de nada.

ANDREA   Claro, y por eso escondes una foto suya de hace treinta años.

MONTANA   ¿Treinta años?

ANDREA   Al pronto me ha costado reconocerla, tan joven y tan delgada. Pero esos ojos, esa nariz…Y ese niño, no me negarás que es hijo tuyo, que hasta tienen esa mirada tuya que…

MONTANA   ¿Conoces a esa mujer?

ANDREA   ¿Cómo has podido hacerme esto, Monta-
            na? ¿Qué clase de hombre eres? ¡Te miro
            y no sé quién eres!

MONTANA   Calla un momento, por dios, Andrea. Res-
            póndeme, ¿conoces a esta mujer?

ANDREA   Claro que la conozco, es el zorrón con el
            que mi marido...

MONTANA   ¡Ya está bien! (MONTANA *va a por el male-
            tín, lo abre y le muestra los billetes.* ANDREA
            queda patidifusa.) ¿Quieres escucharme
            ahora? (*Al público.*) Y por segunda vez con-
            té mi historia de cabo a rabo, sin omitir
            detalles.

ANDREA   ¿Entonces me prometes que esa mujer y
            tú...?

MONTANA   Andrea, por favor, no sigas por ahí.

ANDREA   No, si el caso es que yo tenía mis dudas.

MONTANA   ¿En serio conoces a la mujer de la foto?

ANDREA   ¿Y tú no? Pero si sale en la tele un día sí y
            el otro también.

MONTANA   Yo en la tele solo veo el fútbol, Andrea. Ya
            lo sabes. Y te juro que no tengo ni idea de
            quién es esa señora.

ANDREA   La concejala de Urbanismo y Medio Am-
                biente del Ayuntamiento.

                (MONTANA *mira la foto con detenimiento y
                se encoge de hombros.*)

MONTANA   No caigo, pero tiene sentido. Alguien me
                tomó por un sicario al que pagan por car-
                garse a esa mujer. Ese asesinato, por supues-
                to, saldrá en los periódicos, y entonces,
                cuando salga en los papeles, el asesino re-
                cibirá el otro medio millón.

ANDREA   Dios mío, Montana, es terrible. Tenemos
                que hacer algo.

MONTANA   Mañana mismo iré al Ayuntamiento y ha-
                blaré con ella.

ANDREA   Y yo que creí que tú...

MONTANA   No pienses más en ello, Andrea. Ha sido
                culpa mía. (ANDREA *sale de escena.* MONTA-
                NA, *que tiene la foto entre las manos, se diri-
                ge al público.*) Esa noche hicimos el amor
                como cuando novios. Caímos rendidos. An-
                drea ni se acordó del lorazepán. Dormimos
                como dos benditos. Ella, porque debía de
                estar exhausta después de tantas horas de
                angustia y de derramar tantas lágrimas. Yo,
                porque, por primera vez en mucho, mu-
                chísimo tiempo, fui consciente de que al

27

día siguiente no tenía que levantarme a trabajar ni a fingir que trabajaba. Por primera vez desde que tenía memoria me había liberado de la tiranía del despertador. Cuando abrí los ojos, Andrea ya no estaba en la cama. Cosa rara. Eso no pasaba desde que Fernandito renunció a los biberones.

Cuadro quinto

> ANDREA *le da el maletín a* MONTANA *y lo despide con un beso.*

MONTANA   (*Al público.*) Yo debería haber ido directamente al Ayuntamiento. Pero, en lugar de eso, creí más inteligente llamar a Genaro y contarle las novedades. (*Saca el teléfono del bolsillo y habla con* GENARO.) La concejala. Como lo oyes. Y ahora voy camino del Ayuntamiento.

GENARO   ¿A qué?

MONTANA   ¿Cómo que a qué? Pues a hablar con ella.

GENARO   ¿Y qué piensas decirle?

MONTANA   Pues la verdad, que hay un tipo por ahí que quiere matarla.

GENARO   Mira, Montana, si fueras más tonto podrías solicitar subvención. ¿Es que no has aprendido nada del vicepresidente Quayle?

MONTANA   Genaro, tengo prisas, voy a colgar. Si se te ha quedado algún insulto pendiente, me haces un audio. Hasta luego.

GENARO   Aguarda un segundo, Montana. Estás co-
                metiendo el error de tu vida. Piénsatelo
                bien.

MONTANA   Me he pasado toda la noche pensándolo.
                La decisión está ya más que tomada.

GENARO   Está bien, como quieras. Hágase tu volun-
                tad, pero antes tómate una caña conmigo.
                Lo hablamos. Y si sigues pensando igual,
                yo mismo te llevo hasta la puerta del Ayun-
                tamiento. Creo que me lo debes.

Cuadro sexto

Los dos personajes sentados en una mesa de velador.

GENARO   A ver, ¿qué es eso de que vas a confesarte con la concejala?

MONTANA   Mi obligación, como comprenderás, es advertirla del peligro que corre.

GENARO   ¿Y tú qué sabes el peligro que corre?

MONTANA   Está más que claro, ¿no?

GENARO   Escúchame, Montana, ¿tú has pensado en la posibilidad de que los tipos que pretenden matar a la concejala estén vigilado el Ayuntamiento, estudiando a los que entran y salen de la concejalía?

MONTANA   La verdad es que no.

GENARO   ¿Tú has pensado en el peligro en el que te pones a ti mismo y pones a Andrea y a Fernandito si estos mafiosos te ven con el maletín y te reconocen como el tipo que les ha escamoteado medio millón de euros?

MONTANA   Hombre, la verdad es que…

GENARO   ¿Tú has pensado en la posibilidad de que las cámaras del Retiro hayan grabado a un tipo saliendo del parque con un maletín en las manos y que ese video esté ahora mismo en poder de los mafiosos?

MONTANA   Me acojonas, Genaro.

GENARO   No es para menos

MONTANA   ¿Tú que propones?

GENARO   ¿Me prometes no irritarte si te hago una pregunta que aparentemente no tiene nada que ver con maletines ni con concejalías?

MONTANA   ¿En serio, Genaro? ¿Otra historieta?

GENARO   Solo tienes que responder a una pregunta.

MONTANA   Esta bien. Dispara.

GENARO   ¿A qué miembro de tu cuerpo dirías tú que dedica más espacio tu cerebro?

MONTANA   El mío no sé, pero casi podría apostar que sé a cuál dedica más el tuyo.

GENARO   Pues te equivocarías. Al dedo pulgar de la mano. (GENARO *se lo pone delante de los ojos y hace tijeretas con los pulgares para*

ejemplificar su comentario.) ¿No te lo esperabas, eh? Pues fíjate. Los pulgares. Qué cosa tan sencilla, tan pequeña y, no obstante, en ellos se explica el milagro de la civilización.

MONTANA Vale. Lo entiendo. Los pulgares. Ahora dime qué tiene eso que ver con lo que estamos hablando.

GENARO Todo.

MONTANA Genaro, perdona que te diga, pero cada día me cuesta más trabajo seguirte.

GENARO Seguramente, cuando te he hecho la pregunta, has pensado en la polla, como todo varón que se precie. Pues, no. Es el pulgar. Ya ves tú: un pequeño y regordete miembro en el que casi nadie repara.

MONTANA ¿Y?

GENARO Pues que la mayoría de las veces nos ocurre como con el pulgar. Se nos plantea un problema que nos parece la repanocha de complejo. Le damos vueltas y vueltas sin llegar a parte alguna. Resulta que la solución la tenemos delante y la obviamos porque nos parece pequeña, regordeta, vulgar, y nos empeñamos en imaginar soluciones complicadas e inútiles con las que solo conseguimos apartarnos de la meta y amargarnos

la vida. (*Silencio en el que* MONTANA *parece estar digeriendo las palabras de* GENARO.) Espero que entiendas que hablo en plural por deferencia hacia ti, porque te aseguro que a mí me pasa pocas veces.

MONTANA   Ya.

GENARO   Amigo Montana, lo que trato de decirte es que te pica la nariz y tú estás tratando de rascarte con la polla en vez de hacer pinza con el dedo índice y el pulgar.

MONTANA   En cristiano, Genaro, por lo que más quieras, que me levantas dolor de cabeza.

GENARO   A ver cómo te lo explico: no se trata de convencer a esa mujer de que quieren matarla, porque eso te pone en peligro a ti y a tu familia, amén de que lo más probable es que la señora te tome por un loco.

MONTANA   ¿Entonces?

GENARO   Se trata de convencer a los mafiosos de que está muerta. Piensa en ello. Si conseguimos apartarla de la circulación un par de días y que los periódicos la den por muerta, tú apareces en el Retiro a la hora estipulada, pillas el otro medio kilo, y adiós muy buenas.

MONTANA   Para empezar, yo no vuelvo al Retiro ni atado, eso que vaya por delante. Por otro lado,

¿qué adelantamos con apartarla unos días?
Tarde o temprano averiguarán que está viva
y volverán a por ella.

GENARO   Eso ya no es asunto nuestro, Montana. Hay
que ser pragmáticos. Si la mafia le ha echado la cruz, esa mujer ya está muerta. Asúmelo. Me remito a la filmografía clásica.
¿No has visto El Padrino? ¿No has visto
Gomorra? Son la Biblia del mafioso. Y te
aseguro que si la mano negra ha marcado
a esa mujer, ya no hay remedio. Olvídate.
Finito. Se acabó. Dala por muerta. Lo único que a nosotros nos queda es impedir que
ese dinero caiga en manos de un sicario
sino en las nuestras, que sabremos darle
un uso más honrado. Hay que ser pragmáticos, pero no pardillos.

MONTANA   (*Al público.*) Lo que vino a decirme Genaro
es que él se ofrecía a hablar con la concejala. Nadie sospecharía de un repartidor de
cervezas. Y una vez que la concejala estuviera convencida, o pidiera pruebas de que
lo que se le contaba no era una patraña, me
llamaría a mí y yo me personaría con mi maletín y mis quinientos mil euros, y a otra
cosa, mariposa.

GENARO   Justo eso es lo que quise decir.

MONTANA   Así, pues, nos montamos en el camión de
reparto y nos dirigimos hacia la concejalía.

Las oficinas principales se encuentran en la calle Alcalá, que a esas horas estaba insufrible de tráfico. Aparcó en doble fila. Dejó las llaves puestas. Yo esperé dentro. A los quince minutos regresó, se montó en la cabina y puso el motor en marcha sin soltar palabra. Bueno, ¿me vas a decir de una vez qué ha pasado?

GENARO   He quedado con ella esta noche. Para cenar. En mi casa.

MONTANA   ¿Me estás vacilando?

GENARO   En absoluto.

MONTANA   ¿Y cómo lo has hecho? (GENARO *se encoge de hombros. Al público.*) Ni sé para qué pregunto. Lo de este hombre con las mujeres es un don. Un súper poder, que ni los de la Marvel. (*A* GENARO.) ¿Le has dicho lo del maletín?

GENARO   A su tiempo, Montana, todo a su tiempo. Esta noche. En un ambiente distendido y de franca intimidad. Una vez que ella esté al tanto de todo, te llamo y te presentas con el maletín, le muestras el dinero y la foto. Y, luego, cuando conozca todas las circunstancias, que sea ella quien decida lo que más le conviene a su salud. ¿Estamos de acuerdo?

MONTANA	Estamos. (GENARO *se pierde entre las sombras. Al público.*) Me dejó en la puerta de casa y nos despedimos hasta la noche. Andrea estaba de los nervios. Y más que se puso cuando le conté lo que había acordado con Genaro.
ANDREA	No sé por qué has tenido que implicar a ese hombre. Acabaréis los dos en un lío.
MONTANA	Mujer, somos amigos. Solo quiere ayudar.
ANDREA	Tengo miedo, Montana. Deberíamos llamar a la policía y contarle todo.
MONTANA	No seas boba, mujer. Qué pinta la policía en esto.
ANDREA	Es dinero de la mafia. Que lo arreglen entre ellos.
MONTANA	¿Y crees que la mafia no sabría que he sido yo quién los delató? ¿Y dónde nos deja eso? Anda, mujer, no te preocupes. Está todo controlado. Ya verás cómo entre Genaro y yo lo solucionamos.
	(*Silencio.* MONTANA *coge el maletín, se pone la chaqueta.*)
ANDREA	Montana, ¿dónde vas?
MONTANA	A casa de Genaro.

ANDREA   Son solo las ocho y media, y me has dicho que él te llamaría.

MONTANA   Lo sé. Pero es que no aguanto más. Me puede la impaciencia. Además, no estoy tranquilo. Conozco a Genaro y hay mil maneras en las que puede meter la pata.

ANDREA   Yo tampoco me fío de ese cabraloca. Pero nada de taxis ni de metros, coge nuestro coche. Y así escuchas la radio mientras vigilas.

MONTANA   Me parece bien.

ANDREA   Y te pones la calefacción, que hace una noche terrible y puedes coger frío.

                (ANDREA *besa a* MONTANA *y se esfuma en la oscuridad.*)

MONTANA   (*Al público.*) Pasé más de una hora de reloj en el coche. Mirando el puñetero portón de Genaro. (*La* CONCEJALA *hace su aparición.*) A las diez y unos minutos vi a una señora picar en el timbre del portón de Genaro El pájaro está en el nido, pensé. (*La* CONCEJALA *entra en el portón. Tras ella, un repartidor de pizza pica en la puerta de* GENARO. *Abren y entra. Al público.*) ¿Fernandito?

                (MONTANA *va hasta la puerta. Salen* FERNANDITO *y* GENARO *agarrando por las axilas a la* CONCEJALA, *que está completamente grogui.*)

FERNANDITO	Papá, ¿qué haces aquí?
MONTANA	No, esa pregunta te la hago yo a ti, ¿qué coño haces tú aquí?
FERNANDITO	Pues, ya ves, echando una mano a Genaro.
MONTANA	Tú eres tonto de remate, hijo. Ya hablaremos en casa. Y tú, Genaro, ¿me puedes explicar de qué va esto? Dime que esa señora no está muerta.
GENARO	No digas tonterías, Montana, qué muerta ni qué leches. Solo está inconsciente. Tu hijo debía echar un somnífero en el refresco, y resulta que se le ha ido la mano.
MONTANA	¿Se puede saber qué has hecho, hijo?
FERNANDITO	Son solo unos lorazepanes de los de mamá. Se recuperará en breve. No os pongáis nerviosos.
MONTANA	¿Le has echado un lorazepán a la concejala?
GENARO	Esa era la idea. Un lorazepán. Pero resulta que tu hijo tiene iniciativa propia.
MONTANA	No me jodas, Fernandito. ¿Cuántos le has echado, si puede saberse?
FERNANDITO	Cinco. Para asegurarme.

39

GENARO   ¿Pero tú estás tonto o qué coño te pasa?

FERNANDITO   ¿Cómo iba yo a saber que esta señora se bebería de un trago una cocacola de un cuarto de litro? ¡Y con pajita!

GENARO   Lo hecho, hecho está, no hay que darle más vueltas. Ahora no es momento ni lugar para discutir.

MONTANA   No, eso es verdad, ya lo discutiremos en la cárcel, que es donde vamos a ir todos por tu culpa, gilipollas.

GENARO   Baja la voz, Montana. Y, por cierto, ¿tú qué haces aquí? Te dije que no vinieras hasta que yo te llamara.

MONTANA   No eres mi jefe, Genaro. Además, no aguantaba en casa. Llevo una hora ahí fuera, en el puto coche, esperando tu llamada. Y menos mal que he venido, porque si no…

GENARO   ¿Has venido en tu coche? Genial. Fernandito y yo íbamos ahora a la cochera a por el mío. Si tienes el tuyo más cerca, tanto mejor; podría ahorrarnos algunas engorrosas explicaciones en caso de toparnos con un vecino.

MONTANA   ¿A dónde se supone que lleváis a esa pobre mujer? Espero que sea a un hospital.

GENARO	Claro que sí, Montana, a un hospital. Tú trae el coche. Nosotros te esperamos aquí.
MONTANA	Lo tengo aparcado ahí enfrente.
GENARO	Pues no se hable más. Ve abriendo las puertas. Y tú, Fernandito, ándate al loro. Si nos topamos con algún vecino, a esta señora nos la hemos encontrado desvanecida y la llevamos a un centro de salud. A propósito, ponle tu casco, así no hay riesgo de que alguien la reconozca.
	(La tienden sobre el asiento trasero. FERNANDITO *hace amago de querer entrar en el coche y sentarse junto a la concejala.)*
MONTANA	¿Adónde crees que vas?
FERNANDITO	A acompañaros.
MONTANA	Y una mierda. Tú ahora mismo te montas en tu moto y te vas a casa.
FERNANDITO	Papá, tengo veintiocho años, puedo hacer lo que me dé la gana.
MONTANA	Pues a ver si te da la gana de buscarte un puñetero piso y montarte tu propia vida, porque, mientras duermas bajo mi techo, las órdenes las doy yo.
FERNANDITO	Bueno, ya estamos con la coplita.

41

GENARO   Tu padre tiene razón; tú aquí ya has cumplido con tu parte. Nuestro trato sigue en pie, por eso no te preocupes.

MONTANA   ¿Trato? ¿Qué trato tienes tú con mi hijo?

GENARO   Te lo contaré por el camino. Dame las llaves del coche, que conduzco yo.

MONTANA   De eso nada. Es mi coche. Yo conduzco.

GENARO   Montana, entra en razón. Me paso el día al volante. Tú eres un conductor ocasional. Llegaremos antes si me dejas conducir a mí.

MONTANA   Mira, Genaro, haz lo que te salga de los huevos. (*Le entrega las llaves.*) No tengo ganas de discutir. (A FERNANDITO.) Y tú, ve a casa y dile a mamá que no me espere despierta. Si te pregunta, cuéntale toda la verdad. No omitas nada, porque luego me preguntará a mí y yo no voy a mentirle. No quiero malos rollos entre tu madre y yo. (FERNANDITO *sale.* MONTANA, GENARO y *la* CONCEJALA, *emprenden el viaje.*) Por aquí no se va al hospital, Genaro.

GENARO   Escúchame, Montana, tenemos que hablar.

MONTANA   No hay nada que hablar, Genaro. Da la vuelta en el próximo desvío y lleva a esta mujer a un hospital antes de que nos metas en un lío.

GENARO   No seas melodramático. Esta mujer se pondrá bien. Son solo unas pastillas. Y, además, ya ha vomitado en mi casa. Como mucho le darán unas jaquecas. Olvídate de eso y escúchame, Montana. Te pido disculpas por lo de antes, por haber implicado a tu hijo. Me he pasado. Lo entiendo. Pero necesitaba una mano, y como tú te andas con esos escrúpulos.

MONTANA   No te voy a consentir que impliques a mi hijo en tus chorradas.

GENARO   Ya te he pedido disculpas, Montana. No vamos a discutir. Me alegra que estés aquí. Te lo digo en serio. Eres un poco lento. Pero acabarás entendiendo que esto que hago es lo mejor para todos. Para mí. Para ti. Para tu familia.

MONTANA   No me vengas ahora con esas, Genaro. Yo sé lo que es mejor para mi familia y, desde luego, no tiene nada que ver con drogar a una concejala.

GENARO   Ya me dirás si cambias de opinión cuando escuches mi plan. Verás, yo tengo una casita en Colmenar de Oreja, a menos de una hora de aquí. Es un sitio pequeño, pero apartado y seguro. Ahí es a donde la llevamos. La retendremos un par de días. Tres a lo sumo. Lo que tarde la prensa en publicar la noticia de su muerte.

MONTANA	Tú has perdido la chaveta…
GENARO	Calla. No me interrumpas, coño. Yo me encargo de todo. Haré una llamada anónima a la prensa. Les diré dónde pueden hallar pruebas. Dejaré su chaqueta con manchas de sangre y su documento de identidad. El resto será coser y cantar. Sacan la noticia. Me acerco al Retiro, pillo los quinientos mil euros y soltamos a la concejala. Por descontado, vamos a medias. Quinientos mil para cada uno.
MONTANA	Imaginaba que por ahí irían los tiros. Pero no te preocupes, puedes quedarte con todo. Es dinero sucio. No lo quiero para nada.
GENARO	Eso lo dices ahora, con la boca chica.
MONTANA	¿Eso piensas de mí? Después de tantos años, ¿así es como crees que soy? ¿Un tipo capaz de secuestrar a una mujer por un puñado de euros?
GENARO	Hombre, tanto como un puñado. Son quinientos mil euros. Por una cifra así uno ya empieza a cuestionarse las cosas.
MONTANA	No hay nada que cuestionarse, Genaro. Nos puede caer la perpetua.

GENARO Querido, te recuerdo que nuestro Código Penal se reserva la cadena perpetua para el regicidio, magnicidio, genocidio, asesinatos en serie o para quien mate a un menor o un discapacitado. No sé si la concejala tiene alguna discapacidad, pero, por fortuna, no vamos a matarla. Solo la estamos ayudando.

MONTANA Vale, vamos a imaginar por un momento que seguimos tu plan. Tú te haces con el dinero, allá tú; pero esta mujer sigue en peligro.

GENARO En cuanto despierte le contamos de qué va el asunto. Si es lista, comprenderá que lo hacemos por su bien y el de sus hijos. Haciéndole creer a los asesinos que está muerta, le estamos consiguiendo un tiempo extra para que decida cómo proceder. Que vaya a la policía, que contrate un detective privado, que cambie de nombre, que se mude de país. O que se haga la cirugía y cambie de cara, que tampoco le vendría mal.

MONTANA Mira, Genaro, no me cuentes más. Detén el coche. Yo no quiero tener nada que ver en esta historia.

GENARO Ya es tarde para eso, ¿no crees? Lo tenías que haber pensado mejor antes de acudir a mi casa y meterme en este embrollo. Tú y

tu puto juego de las adivinanzas. ¿Qué harías si te encontraras quinientos mil euros en un parque? (*Esto lo dice poniendo voz aflautada y ridícula.*) Desde ese momento estamos los dos metidos en esto. Ya no hay vuelta atrás. Ahora lo que toca es concentrarse y no joderla. (*Silencio.*) Espabílate, coño, Montana, que aquí tienes la oportunidad de darle una vuelta a tu vida.

(*Silencio.*)

MONTANA   ¿Genaro?

GENARO   Dime.

MONTANA   ¿Desde cuándo tienes tú una casa en Colmenar de Oreja?

GENARO   De toda la vida. Mi madre nació ahí.

MONTANA   ¿Y nunca me has dicho nada?

GENARO   ¿Y qué querías que te dijera?

MONTANA   No sé, somos amigos. Podrías haber dicho: toma la llave, vete a pasar un fin de semana con tu mujer. Veniros a celebrar una barbacoa. Qué sé yo. Es lo que hacen los amigos.

GENARO   Yo no hago barbacoas. Esa casa es mi refugio. Tú vas al Bernabéu a distraerte, yo me vengo al Colmenar.

MONTANA	Podríamos habernos distraído juntos.
GENARO	No lo creo. Yo voy allí a leer, a pasear, a respirar, a apartarme de todo. Jamás llevo a nadie. Además, no tiene wifi, apenas hay cobertura, no hay televisor, ni radio ni modo alguno de ver un partido de fútbol. ¿Qué harías tú en un sitio así aparte de comerte las uñas de aburrimiento?
MONTANA	Lo que yo haga o deje de hacer es problema mío. Pero no habría estado de más que hubiera salido de ti el ofrecérmela, digo yo.
GENARO	Mira, Montana, somos amigos desde hace treinta años. Deja que las cosas sigan como están. Respecto a tu hijo, le prometí cien mil euros, para que se vaya de casa, antes de que se te pase el arroz.
MONTANA	¿Ves cómo en el fondo no eres tan capullo?

Cuadro séptimo

Casa de Colmenar. Un salón repleto de libros. Una chimenea donde arden unos troncos. La Concejala, *duerme en el sofá. En una pared un cuadro de Vito Cano.* Montana *mira la casa, se detiene ante el cuadro, lo descuelga y lo muestra al público.*

Montana   (*Al público.*) Este hombre, con esa sonrisa entre boba y dulce y esa luna llena y brillante, me hizo pensar en una noche de hace mucho, mucho tiempo. De cuando yo tenía nueve o diez años. Yo miraba la tele. Se me acercó mi abuelo.

(*Aparece el* Abuelo.)

Abuelo   Chis, chaval, apaga ese trasto y ven conmigo.

Montana   Abuelo, son las diez de la noche.

Abuelo   Vamos, que te voy a mostrar una cosa que vas a alucinar. Un prodigio. Una maravilla que pasmó a Espartaco y al mismísimo Alejandro Magno.

MONTANA   Me dices esos nombres solo porque sabes que son los personajes de mis películas preferidas.

ABUELO   Vamos, no seas perezoso. Te mostraré un portento que hizo suspirar a César y a sus legionarios romanos; pero tienes que apagar la maldita tele y venir conmigo.

MONTANA   (*Al público.*) Mi abuelo me arrastró con él a la calle. Entonces vivíamos en el pueblo, en una casa grande, a pie de calle, ni se nos pasaba por la cabeza que un día, no muy lejano, acabaríamos apiñados en un pisito de la capital.

ABUELO   ¿Qué, tienes miedo? Acércate. (MONTANA *se acerca.*) Ahí la tienes: la luna. Fíjate que esa luna que tú y yo contemplamos como si cualquier cosa, la miró en su día César y antes que él Alejandro Magno y la contemplaron también los faraones, y antes que todos ellos la miraron los ojos de los dinosaurios y de los hombres de las cavernas y la seguirán mirando los hombres y mujeres del futuro, y así hasta el final de los tiempos, ¿qué te parece?

MONTANA   Abuelo, es solo la luna.

ABUELO   ¿Y te parece poca maravilla tener girando sobre tu cabeza una piedra de ese tamaño sin que se te venga encima? (MONTANA,

impaciente, se encoge de hombros. El abue-
lo lo da por perdido.) Anda, corre a meterte en tu ratonera; pero que sepas que el
televisor te secará el coco y hará de ti un
botarate.

MONTANA   Abuelo, ¿qué es un botarate?

ABUELO   Un hombre sin capacidad de asombro. El
que mira a la luna y solo ve eso, la luna.

(*El* ABUELO *sale.* MONTANA *devuelve el cua-*
dro a su sitio. GENARO *llega con dos latas de*
cervezas. Sorprende a MONTANA *mirando el*
cuadro.)

GENARO   ¿Te gusta?

MONTANA   ¿Qué?

GENARO   El cuadro.

MONTANA   ¿Lo has pintado tú?

GENARO   No. Yo no pinto. Es de Vito Cano, un ar-
tista extremeño.

MONTANA   Tiene algo. No sé. Es curioso, porque, más
que un hombre, parece una caricatura de
hombre. Y, sin embargo, veo en él algo de
mí mismo. ¿No es raro?

GENARO   No, claro que no lo es. En eso, precisamente, consiste el arte. Tiene que arrastrarte, meter algo de ti en el cuadro. Si no lo consigue, algo falla. O el cuadro. O el que lo mira.

MONTANA   (*Tras un breve silencio.*) ¿Qué piensas hacer con la Concejala?

GENARO   Dejarla que duerma. Y lo mismo deberíamos hacer nosotros.

MONTANA   Pues yo no sé si tengo la cabeza como para dormir.

GENARO   Tienes que intentarlo. Debemos tener la cabeza despejada. He pensado que hagamos dos turnos. Ya haré la primera guardia.

(GENARO *sale.*)

MONTANA   (*Al público.*) A mí esto de las guardias y de los turnos me daba tufo a película de gánsteres. Y no recordaba ni una sola película en la que los gánsteres tuvieran un final feliz. En esas me sonó el móvil. Un mensaje de Andrea. Que por qué no respondía a sus llamadas, que la llamara cuando despertase. El caso es que aquí apenas había cobertura. Y a mí tampoco me apetecía salir a la calle en mitad de la noche a ponerme a dar explicaciones. Ya habría tiempo. Me quedé dormido. Cuando desperté ya entraba luz

por la ventana. Me levanté y me fui al salón. (MONTANA *va al salón.* La CONCEJALA *ya no está en el sofá, sino en una silla, con un trozo de cinta americana en la boca, las manos atadas a la espalda y* GENARO *agachado, terminando de amarrarle los pies.*) ¡Genaro! ¿Qué diablo estás haciendo?

GENARO   He tratado de razonar con ella, pero no hay manera. Demasiadas pastillas. Voy a preparar un café.

(La CONCEJALA *forcejea y hace ruidos ininteligibles.*)

MONTANA   No tengas miedo. No somos asesinos, ni secuestradores. Puedes creerme. Aunque parezca otra cosa, te hemos traído aquí para ayudarte. Es una historia larga y tal vez no tengas ahora la cabeza para historias. Cuando tomes un café lo entenderás todo y acabarás por darnos las gracias. (*La* CONCEJALA *no parece convencida. Amaga con darle una patada y solo la cinta americana impide que* MONTANA *se lleve un disgusto.* GENARO *llega con el café. Se sientan frente a la chimenea. Suena el teléfono de* MONTANA.) Es Andrea.

GENARO   Ponlo en silencio, coño, que ese sonido me vuelve loco. (MONTANA *apaga la llamada.* GENARO *mira cómo* MONTANA *escribe un mensaje. Cuando concluye, guarda el teléfono en*

el bolsillo o lo coloca sobre la mesa.) ¿No te cansas nunca?

MONTANA   ¿De qué?

GENARO   De dar explicaciones a todo el mundo. A Andrea, a Emilio, a tu hijo, a mí. Tiene que ser agotador.

MONTANA   ¿Qué quieres decir?

GENARO   Lo que he dicho.

MONTANA   Pues no me gusta el tono en el que lo has dicho. Me parece que esto del secuestro se te está subiendo a la cabeza y te das aires de mafioso.

GENARO   No digas tonterías. Además, esto no es un secuestro.

MONTANA   Me alegra que lo digas. Pero seguro que esta pobre señora no debe de estar pensando lo mismo. (MONTANA *se levanta y se acerca a la* CONCEJALA.) Escúchame bien. Si me prometes no gritar ni dar patatas, te desato y podrás tomarte una taza de café y hablamos como personas civilizadas, ¿ok? (*La* CONCEJALA *dice que sí con la cabeza.*) Genial. Ya verás cómo todo va a salir bien y nos vamos todos a casa. Hemos empezado con mal pie, pero comprobarás que no somos mala gente. Yo me llamo Montana.

GENARO	¡Nada de nombres, coño!
MONTANA	No seas peliculero, Genaro.
GENARO	Definitivamente, eres tonto, Montana.
MONTANA	(A la CONCEJALA.) Yo soy camarero. Quiero decir, que era camarero. Me quedé sin trabajo. Y ahí empezó esta tragedia. Me vi obligado a mendigar trabajo, un profesional como yo. A mi edad. ¿No es una lástima? Pues claro que lo es. Como para hacer llorar a cualquiera. Y precisamente a llorar me fui al Retiro. Me senté en un banco y apareció un tipo con un maletín. El caso es que el tipo me confundió con un sicario. Fíjate. A mí. ¿Tengo yo pinta de sicario? Pues él debió pensar que sí. Y me dio un maletín con quinientos mil euros y una foto. Los quinientos mil euros, claro, para que matara a la mujer de la foto. Y resulta que la mujer de la foto eras tú. ¿Entiendes ahora? Te hemos traído aquí para protegerte. (La CONCEJALA trata de decir algo, pero la mordaza se lo impide.) Es cierto que mi amigo pensó en un principio retenerte hasta que la prensa te diera por muerta y embolsarnos el otro medio millón. Pero yo no estoy de acuerdo con esa idea. Y creo que él tampoco tardará en convencerse. Solo necesitamos que tú, ahora que conoces la situación, nos digas qué te conviene más y cómo quieres que resolvamos esto. ¿Estamos de acuerdo?

(*La* Concejala *se remueve y gesticula con los ojos.* Montana *comprende que le está diciendo que mire hacia atrás. Cuando lo hace es tarde.* Genaro *lo golpea en la cabeza con un tronco de los de la chimenea y cae al suelo sin conocimiento. Oscuridad total.*)

Cuadro octavo

Casa de Colmenar. Salón. La CONCEJALA *sigue en la silla, completamente atada y amordazada.* MONTANA, *en otra silla, atado, pero sin mordaza en la boca.*

MONTANA ¿Te has vuelto loco, Genaro?

GENARO Tú me has obligado.

*(*GENARO *se sienta en el orejero. Algo apartado de la* CONCEJALA *y de* MONTANA.*)*

MONTANA Acaba ya de una vez con esta gilipollez de mafioso antes de que se nos vaya más de las manos.

GENARO Para ti es fácil dar marcha atrás...

MONTANA Para ti también, Genaro. Estamos a tiempo. Y es lo mejor para todos. Aún no hemos hecho nada que no podamos corregir. Yo no te tengo en cuenta el golpe. Te lo juro. Y seguro que esta mujer también sabrá entenderte.

*(*GENARO *lo mira desde su asiento. Guarda silencio unos segundos.)*

GENARO   No quiero dar marcha atrás. Atrás no tengo nada que merezca la pena.

MONTANA   Claro que sí. Nos tienes a mí y a Andrea.

(Se levanta y va hacia la ventana. Habla sin mirar a MONTANA.*)*

GENARO   Andrea. Nunca he entendido cómo una mujer como ella pudo enamorarse de ti. Te da siete vueltas en todo. Es lista, refinada, elegante. Hermosa. Y tú...tú eres Montana. ¡Pero si creías que el ramen era un jugador de fútbol! ¿Cómo ibas a ser consciente del valor de esa mujer?

MONTANA   ¿Qué tiene que ver ahora el ramen? ¿De qué leches me estás hablando, Genaro?

GENARO   Si hubieras sido consciente del regalo que te hizo la vida al poner a esa mujer en tu camino, habrías pillado los quinientos mil euros cuando tuviste oportunidad y la habrías sacado del sucio agujero que llamas hogar y te habrías dedicado a compensarla por tantos años de mediocridad. Es lo que hubiera hecho yo. Me la habría llevado lejos. Muy lejos.

MONTANA   *(Al público.)* Este imbécil lo que está es enamorado de mi Andrea. La madre que me parió. No me lo puedo creer. ¿Cómo no me he dado cuenta antes? Y yo pensando

todo este tiempo que éramos amigos del alma. Siempre supe que él era más listo que yo y que me soportaba porque algo vería en mí que le compensaba. Una mierda para mí. Genaro me desprecia. Qué digo. Me odia. Ahora me doy cuenta. Y todo porque él, que no ha conocido mujer que se le resista, se enamoró de mi Andrea.

GENARO   Tú tienes la culpa de todo esto, Montana. Yo vivía en paz. Con mis demonios, pero en paz. Y tuviste que llegar a mi casa, con el dichoso maletín y la puta adivinanza de los cojones. Desde que me preguntaste qué haría yo con quinientos mil euros no he parado de darle vueltas. ¿Y sabes qué he pensado? Que si cayeran en mis manos esos quinientos mil euros, mandaría todo a la mierda. Me largaría muy lejos. A cualquier lugar donde no pudiera veros más la cara. Ni a ti, ni a Andrea.

MONTANA   Para eso no te hacen falta esos quinientos mil euros. Tienes el piso de la calle El Barco. Y esta casa. Véndelos y te largas a donde quieras.

GENARO   ¿Ves cómo eres gilipollas? ¿Crees que si las pudiera vender no lo habría hecho ya? El banco me tiene cogido por los huevos, Montana.

MONTANA   ¿El banco? ¿Me quieres decir que estás arruinado?

(*La* CONCEJALA *reclama la atención de los dos personajes con nuevos gorjeos, esta vez más apremiantes.*)

GENARO   Y esta qué quiere ahora.

MONTANA   Quítale la venda de la boca, Genaro, no seas cafre.

GENARO   (*A la* CONCEJALA.) ¿Prometes no gritar?

(*Dice que sí con la cabeza y* GENARO *le arranca la venda de la boca.*)

CONCEJALA   Necesito estirar las piernas, las rodillas me están matando y me pican las pantorrillas un horror, que tengo mala la circulación.

MONTANA   Suéltala, Genaro. No se va a ir a ninguna parte.

CONCEJALA   Gracias.

GENARO   Vale, pero nada de tonterías o te vuelvo a amordazar. (*Le quita la cinta americana de manos y pies.*) Espero que recuerdes que todo esto lo hago para salvarte la vida.

CONCEJALA   (*En tono ambiguo.*) Lo recordaré. Te prometo que lo recordaré. (*Se levanta, se frota*

las pantorrillas con las manos y da varias patadas al aire, para estirar las piernas.) La forma que habéis elegido para salvarme no es la más ortodoxa, pero valoro la intención.

MONTANA   ¿Tienes idea de quién puede querer matarte?

CONCEJALA   La verdad es que no. Pero en política nunca se sabe.

GENARO   Tiene que ser alguien que te odie mucho. Un millón de euros es mucha pasta.

               (*La* CONCEJALA *se limita a encogerse de hombros.*)

MONTANA   ¿Hay algo que podamos hacer por ti?

CONCEJALA   Necesito llamar a mi madre. En casa hay una asistenta que la cuida, pero mi madre es muy mayor y debe de estar preocupadísima. No suelo pasar noches fuera de casa.

GENARO   Ni lo sueñes. Nada de llamadas. Nadie puede saber que estás viva, al menos hasta que salga tu muerte en los papeles. Serán, como mucho, un par de días. Ya tendrás tiempo luego de tranquilizar a tu madre.

CONCEJALA   Tiene noventa años. ¿Cómo se va a tranquilizar? ¿Cómo crees que reaccionará su corazón si no sabe de mí en breve? Dejadme

hablar con ella. Os aseguro que no dará problemas.

MONTANA   Vamos, Genaro. Es una anciana de noventa años. Imagina cómo debe de estar la pobre de asustada.

GENARO   No me fío, vamos a echar a perder todo el plan por puro sentimentalismo.

CONCEJALA   Escuchadme bien los dos. Agradezco que me hayáis avisado de lo del sicario. De veras. Y estoy dispuesta a colaborar. Pero os juro que, si le pasa algo a mi madre por vuestra culpa, os denuncio por secuestro y asesinato.

             (GENARO *lo piensa un momento.*)

GENARO   Vale, pero aquí, delante de mí, que yo escuche cada palabra. Y si noto que dices algo inapropiado, mordaza al canto.

             (*La* CONCEJALA *saca el teléfono y marca unos números.*)

CONCEJALA   Mamá, soy yo. Escúchame sin interrumpirme, por favor. Ya sé que tenía que haberte llamado, pero me ha sido imposible. Ya te contaré. Estoy bien. En casa de dos amigos, que se han empeñado en que pasara la noche con ellos. Qué más da quiénes sean. No los conoces. No, no son escoltas. No, mamá,

tampoco son policías. Calla, mujer, qué manía te ha dado con las pistolas. Solo son dos amigos. Y me piden que pase un par de días más. Ya te contaré detalles cuando nos veamos. Lo que quería decirte es que igual estos días oyes algunas tonterías sobre mí en la tele. Ni caso. Estaré bien. Nos vemos muy pronto. Adiós. (*Cuelga y mete el móvil en el bolso.*) ¿Y ahora, qué?

GENARO   Ahora, a continuar con el plan, tal y como estaba previsto. Por lo pronto, voy a por el cuchillo.

CONCEJALA   ¿Para qué necesitas un chuchillo?

GENARO   Si queremos que la prensa se trague el anzuelo tenemos que dejar alguna prenda tuya con restos de sangre. (*Ante la cara de horror de la* CONCEJALA.) No te preocupes, será un pinchazo de nada.

(GENARO *va a por el cuchillo. Sale de escena.*)

MONTANA   Date prisa, desátame antes de que vuelva.

CONCEJALA   Ni hablar. Ese hombre me da miedo, podría hacerme cualquier cosa.

(*Quedan en silencio unos segundos.*)

MONTANA   ¿Puedo hacer una pregunta personal?

CONCEJALA	Pregunta lo que quieras, hijo. Total, parece que esto va para largo...
MONTANA	¿Conocías de antes a Genaro?
CONCEJALA	No. Ayer fue la primera vez que lo vi en mi vida.
MONTANA	¿Y cómo es que aceptaste ir a cenar a la casa de un desconocido?
CONCEJALA	No lo sé. Supongo que todavía tiene una la esperanza de que le ocurra algo sorprendente. Lo cierto es que él es un hombre muy atractivo y yo pensé que a lo mejor me invitaba por aquello de que soy concejala, la erótica del poder y todo eso. O que quizás le gustasen las maduritas. O las feas. Qué sé yo. Los hombres sois muy raros. (*Regresa* GENARO. *Trae el cuchillo en la mano.*) Voy dar por hecho que ya tienes el correo de algún periodista al que enviarle el anónimo. (GENARO *duda un instante y luego hace con la cabeza un gesto afirmativo muy poco creíble.*) No resultas muy convincente. Pero supongamos que lo tienes. ¿Me aseguras que ese periodista tuyo podrá hacer que la noticia salte a nivel nacional? Porque yo no me quedaría tranquila con menos. (GENARO, *dubitativo. La* CONCEJALA *reacciona rápido. Saca del bolso el móvil y comienza a manipular la pantalla, muy resuelta.*) Aquí tengo algunos con los que puedes dar el campanazo.

GENARO   Gracias, lo tendré en cuenta; pero primero es lo primero.

(GENARO vuelve a tomar las riendas. Levanta una manga de la chaqueta de la CONCEJALA y va a proceder a sajar. La CONCEJALA lo interrumpe.)

CONCEJALA   Está bien. Si dices que no vas a hacerme daño, te creo. Pero antes necesito comer algo. Aparte de las pastillas esas con las que me habéis drogado, no me entra nada en el estómago desde ayer a mediodía. Me encuentro débil. Si me pinchas ahora, me marearé. Y te llenaré esto de vómitos.

(GENARO detiene el cuchillo en el aire.)

GENARO   No tengo gran cosa, alguna lata de conserva.

CONCEJALA   Me puede valer.

MONTANA   *(Al público.)* Yo miraba a los dos hablando de periodistas y conservas, y no salía de mi asombro. Mira que eres imbécil, me decía una voz aquí dentro. Treinta años con este tipo y ni te habías percatado de que estaba colado por tu mujer. Hay que ser idiota. Treinta años. ¿Y debía confiar en que nunca se le había insinuado? Me costaba creerlo. Y de haberse insinuado, ¿sería Andrea capaz de resistirse a un hombre así? Porque, como diría Shakira,

comparar a Genaro conmigo es comparar un Ferrari con un Twingo, las cosas como son. ¿Se habría dado mi Andrea un paseo en el Ferrari? No sabía qué pensar. Entonces me acordé del mensaje que me había escrito la noche anterior. «He hecho algo muy malo, Montana, perdóname. Tenemos que hablar». Anoche no le di importancia al mensaje, pero ahora lo veo con otros ojos. Se olió que pasando una noche entera junto a Genaro este se podría ir de la lengua y me acabaría enterando del pastel. Será cabrona, la hija de puta. (GENARO *se levanta para ir a por las conservas.*) ¿Te has olvidado de mí? ¿Me vas a tener todo el día atado a esta silla?

GENARO   ¿Qué quieres ahora, Montana?

MONTANA   Que me desates, coño, qué voy a querer.

GENARO   Te desato solo si me prometes no hacer tonterías.

MONTANA   Ya hemos hecho todas las tonterías que teníamos que hacer, Genaro. Ahora lo que quiero es ayudarte a que esto acabe bien, que esta señora se pueda ir a su casa cuanto antes sin que nosotros acabemos entre rejas.

(*Con el cuchillo corta la cinta de las manos y los pies de* MONTANA.)

65

GENARO   Te recuerdo que aquí el que manda soy yo.

                  (MONTANA *asiente. Se frota las manos y los pies.*)

MONTANA   Vale, eres el jefe. Ya lo veo.

GENARO   Sin tonterías, Montana. Cuida que la concejala no haga ninguna travesura mientras yo busco algo de comer.

                  (GENARO *sale de escena. La* CONCEJALA *pasea por la sala. Curiosea entre los libros.*)

CONCEJALA   ¿A qué se dedica este hombre?

MONTANA   Es repartidor de cervezas.

CONCEJALA   (*Gesto de sorpresa.*) Lo que yo digo: los hombres sois muy raros.

MONTANA   Unos más que otros. (*Sarcástico.*) ¿Es que la señora concejala no tiene libros en casa?

CONCEJALA   Los lógicos y normales que tiene una persona sensata, nada de ostentación. Yo no soy de leer. Es más, si leyera, jamás lo confesaría en público. Asustaría a mis votantes, que son gente sencilla, gente de bien que lo que quiere son representantes con los que identificarse, políticos que no les meneen las costumbres. A mis votantes no les gusta la palabrería. Les va más el estilo

Trump, campechano, simplote, un tipo que dice que la aviación tuvo un papel estelar en la guerra de independencia americana y se le perdona porque un fallo lo tiene cualquiera, siempre y cuando se defienda lo que hay que defender, los valores tradicionales, nuestras esencias, ¿no te parece? A propósito, ¿tú a quién votas en las elecciones?

MONTANA   A Cristiano Ronaldo.

CONCEJALA   Lo podría haber supuesto, hijo... (*Llega* GENARO *con un plato de comida y una copa de vino. La* CONCEJALA *se bebe el vaso de vino de un trago. Pone el vaso vacío ante los ojos de* GENARO, *para que le traiga otro.*) Para hacer sangre.

(GENARO *trae una botella y dos copas más. La* CONCEJALA *saca un paquete de tabaco del bolsillo, se pone un cigarrillo en la boca. Busca el mechero.*)

GENARO   Lo siento, pero en mi casa no se fuma.

CONCEJALA   Pues, entonces, tú me dirás cómo lo hacemos, porque si piensas que voy a estar dos días encerrada en esta casa sin fumarme un cigarrillo es que no sabes con quién estás hablando. Si no fumo, se me agría el carácter. Y te aseguro que no querríais verme de mal humor. Por lo pronto, ya te digo que a mí no me rajas el brazo sin antes haber

echado un cigarro. (*La* CONCEJALA *enciende el cigarrillo. Mira el reloj del móvil. Se pone cómoda.* GENARO *se acerca a la chimenea y pone el hierro entre las brasas.*) ¿Habéis oído, por un casual, que la iglesia anglicana quiere nombrar a Dios con el género neutro? (GENARO *y* MONTANA, *desconcertados, niegan con la cabeza.*) Me lo contó un compañero de partido y yo no daba crédito. Resulta que a los ingleses les parece inapropiado que Dios sea varón. Nada de Él, ni Ella. De ahora en adelante lo llamarán Ello. Como lo oís. Un dios sin sexo y de género neutro. Se acabó lo del «padre nuestro». Imaginad la cara que se le pondría a Miguel Ángel si le encargaran ahora pintar la Sixtina. Menudo marrón. Pero una cosa os digo, en cuanto los ingleses le den el visto bueno a esa chorrada, el resto de Europa va detrás. Como si lo viera. Yo nunca he sido muy practicante, la verdad. Creer, creo, eso sí, que es gratis y, además, no hay motivos para pensar que somos más listos que nuestros antepasados, que llevan miles de años creyendo y no nos ha ido del todo mal siguiendo su ejemplo, digo yo.

GENARO   ¿Vas a decirnos de una vez a dónde quieres ir a parar con este asunto de los anglicanos y del género neutro?

CONCEJALA   Perdona, creí que teníamos dos días por delante, no sabía que tuviéramos prisas.

En fin, a donde quiero ir a parar es que el mismo compañero de partido que me dijo eso de los anglicanos me aconsejó que no desesperase, que no todo estaba perdido. Que no en todas partes reman a favor del lenguaje inclusivo, el matrimonio homosexual y todas esas zarandajas. Me invitó a que lo acompañara a Vistalegre a escuchar la charla de un evangelista brasileño, un tipo que al parecer en su tierra es muy popular y que tiene fama de realizar sanaciones en directo. No tenía nada que perder y sí mucho que aprender, que las cosas que se ven y que se escuchan en sitios así luego vienen que ni pintadas para los mítines. En fin, que me decidí y allí que me presenté, acompañada, eso sí, de varios amigos y colegas de partido. Y me alegré de haber ido. Porque, si no lo veo con mis propios ojos, no lo hubiera creído. El palacio de Vistalegre estaba hasta la bandera. Más de tres mil personas coreando las consignas de un anciano que no paraba de hablar de dios y del diablo, al que hacía íntimo de los homosexuales, que defendía que las mujeres no debíamos ir a la universidad y que aseguraba que las donaciones a su iglesia eran tenidas en cuenta por dios a la hora de repartir parcelas del paraíso. La gente se volvía loca cada vez que aquel señor abría la boca. Se habló también, claro, de milagros. Pero yo el único milagro real que vi fue el que un tipo que había salido de la nada,

con una mano delante y otra detrás, como suele decirse, desde que montó ese chiringuito, había multiplicado su fortuna de modo que dejaba el milagro de los panes y los peces en una chapuza. La revista Forbes estima que su fortuna actual está por encima de los mil millones de dólares. Eso es prosperar, ¿no os parece? Y yo, después de toda una vida dedicada al servicio público, me iba a jubilar con una miseria de pensión. Tuve que salir del recinto a fumar un cigarro porque me estallaba la cabeza solo de pensarlo. Y estando ahí fuera, cigarro en boca, se me acercó un compañero de partido. Me dijo que había unas personas que querían conocerme. Resulta que el hijo de unos antiguos conocidos de mi familia, un chico al que no veía desde que era un crío, era socio de peso en un grupo inmobiliario internacional que tenía interés en ciertos terrenos municipales. Pues, bien, este chico me ofrecía un millón de euros a cambio de que yo hiciera el milagro de convertir esos terrenos rústicos en urbanizables. El lugar y el momento era el adecuado para pedir milagros, eso hay que reconocérselo. Me pensé la oferta. No mucho, la verdad. El tiempo suficiente para convencerme de que yo no tenía por qué ser menos que el milagrero brasileño. Y llegamos a un acuerdo. Medio millón de señal y el otro medio cuando la recalificación estuviera firmada y publicada en el BOE.

Fácil. Pero resulta que el tipo que tenía que hacer la entrega se demoró, mi recadero creyó que se había rajado, que la operación se había echado a perder, perdió la paciencia y se fue. Y entonces apareció un listo y se apoderó de mi dinero. Y aquí estamos.

(GENARO *se acerca a la concejala con el cuchillo en la mano. Amenazante.*)

GENARO   ¿Qué estás tratando de decirnos?

CONCEJALA   ¿No he sido lo suficientemente clara para ti? ¿Tengo que deletreártelo?

GENARO   ¿Me quieres hacer creer que no hay sicario y que nuestro dinero es, en realidad, dinero de un soborno?

CONCEJALA   Chico, para estar rodeado de tantos libros pareces un poco torpe. Claro que no hay sicario.

GENARO   Yo a esta tía la mato.

(*Quizás* GENARO *la habría matado, pero* MONTANA *lo impide. Se enzarzan en una pelea en la que* MONTANA *lleva todas las de perder. La* CONCEJALA *los deja hacer y mira como quien mira un espectáculo entre divertido y patético. Cuando* GENARO *y* MONTANA *se percatan, o se cansan, detienen la pelea.*)

CONCEJALA   ¿Se puede saber de dónde salís vosotros dos? ¿Me puede explicar alguien cómo se puede alcanzar la edad adulta siendo tan imbécil? ¿En qué cabeza cabe que alguien pagaría un millón de euros por asesinarme? Estoy divorciada dos veces; cualquiera de mis exmaridos lo haría gratis.

MONTANA   ¿Por qué nos cuentas esto ahora?

CONCEJALA   Porque no me apetecía que me rajaran el brazo con un cuchillo campero. Y porque el de la inversión, el dueño del dinero, está de camino y no creo que tarde ya mucho en llegar.

GENARO   Mientes, es imposible que nadie sepa dónde estamos.

CONCEJALA   Claro que lo sabe, guapito de cara. Y sabe que sois dos, que no sois policías, ni escoltas, ni lleváis armas.

MONTANA   Anda, la hostia, nos la ha jugado. No hablaba con su madre.

CONCEJALA   Teníais que haber hecho mejor vuestro trabajo de investigación, majos. Mi madre murió en el ochenta. Y, para que lo sepáis, le pasé la ubicación de este sitio al inversor mientras fingía buscar el correo de un periodista. De modo que será mejor que uno de vosotros vaya a donde sea que escondéis

el dinero y que esté aquí cuando llegue, porque os advierto que no se ha hecho rico dejando que nadie le chulee un euro.

MONTANA   (*Al público.*) Hasta ese momento no caí en la cuenta de que ni la concejala ni Genaro sabían que el maletín estaba afuera, en la calle, helándose de frío en el maletero del Kia. Mantuve el secreto pensando que igual era una baza que podría usar en mi favor llegado el momento.

GENARO   Así que solo eres una vulgar chorizo.

CONCEJALA   En absoluto. Yo no robo a nadie. Solo muevo la balanza a favor de unos empresarios y esos empresarios me gratifican por ello. Punto. Jamás he metido la mano en dinero público. Los chorizos sois vosotros que tratabais de robarme a mí.

MONTANA   Yo no soy ningún chorizo, señora. Ese dinero vino a mí de forma inesperada, me pilló en la peor situación de mi vida. Desempleado y desesperado. Si alguna vez me planteé quedarme con él fue por mi hijo, por mi mujer, por darles una vida mejor

CONCEJALA   Como todos, no te fastidia con lo que sale el listo este. Yo también tengo una hija. También quiero una vida mejor.

MONTANA (*Al público.*) Touché. Tocado y hundido. Qué fácil resulta justificar una mala acción cuando quien la comete es uno mismo. La concejala estaba hecha una pájara de mucho cuidado, de eso no hay duda, y lo de que no había metido la mano en el puchero público no se lo creía ni ella. O igual sí. Igual era esta la primera vez que se decidía a dar un mal paso. En realidad me importaba un comino. Lo que de verdad me inquietaba era haberme descubierto cometiendo un acto que me avergonzaba. Había tomado un dinero que no era mío y luego adorné el hecho con todas las justificaciones que quise. Igual que ella. Tan corrupto era yo como ella, solo que yo, encima, lo adornaba con prejuicios morales, lo que, amén de corrupto, me convertía en un cínico de catálogo.

GENARO ¿Qué ocurrirá si te devolvemos el dinero? ¿Qué garantías nos das de que no nos harán daño y que podremos continuar con nuestras vidas?

CONCEJALA ¿Garantías? Ninguna. Yo no estoy en la cabeza de ese señor. Ni siquiera tengo mucho trato con él. Negocia conmigo a través de intermediaros. En realidad, la última vez que nos vimos sería por la época en la que nos hicimos la foto esa, que, por cierto, me la enviaba como un gesto de amistad, para recordar tiempos pasados. En fin, garantías

por su parte no puedo daros. Pero sí os garantizo que yo intervendré en vuestro favor. Después de todo, sois gilipollas, pero la intención era buena.

MONTANA   Eso sí que no nos lo puede discutir nadie.

GENARO   ¿Que somos gilipollas?

MONTANA   Que la intención era buena. Solo queríamos ayudar.

CONCEJALA   Usaremos eso en vuestro favor. Por otro lado, hasta donde yo sé, es gente de negocios, no un asesino. Pero, por si acaso, yo no tentaría a la suerte y procuraría tener el dinero sobre la mesa para cuando llegue.

MONTANA   Está bien, iré a por el dinero.

CONCEJALA   Llama a tu mujer y que lo traiga ella.

MONTANA   De eso nada. A mi mujer no la metas en esto.

GENARO   Tiene razón. Este marrón es nuestro. No involucremos a nadie más.

CONCEJALA   Como queráis. Pero yo que vosotros me daría prisa.

(MONTANA *se pone la cazadora. Oscuro.* MONTANA *se acerca a la boca del escenario.*)

MONTANA

(*Al público*.) Arranqué el coche y me alejé de la casa un par de kilómetros. Me detuve en el arcén. Apagué las luces. Por mi cabeza pasaron las ideas más desatinadas. Irme directamente al aeropuerto y desaparecer con el medio kilo. ¿Y qué sería de Andrea? Anda y que se las apañara con su novio. Los celos, el miedo y la rabia no me permitían pensar con claridad. Me sentía el más desdichado de los hombres. En una misma noche había perdido al amor de mi vida y a mi mejor amigo. A mi único amigo. Tenía quinientos mil euros y nadie con quien compartirlos. Bajé del coche. Caminé por la carretera, bajo la luz de la luna. Y ahí estaba ella, redonda, brillante y joven, como si por ella no pasaran los años. En ese trance debí parecerme al personaje del cuadro de Vito Cano, un pequeño bobalicón mirando la inmensidad del horizonte mientras la luna lo observaba todo con inmortal indiferencia. Y, de pronto, que nadie me pregunte cómo ni por qué, supe lo que tenía que hacer. Regresé a la casa de Genaro. Genaro estaba en la cocina. La concejala, despatarrada en uno de los sillones orejeros, fumado y con la mirada perdida en las cabriolas de las llamas de la chimenea. Ninguno de los dos me sintió llegar. Yo llevaba el maletín en una mano. Me fui directo hasta la chimenea, tomé el bote de líquido inflamable, lo vacié sobre el maletín y luego lo arrojé al fuego.

CONCEJALA	¡Qué coño has hecho!

(La CONCEJALA *da un brinco para sacar el maletín del fuego. Pero* MONTANA *se pone delante, pilla el atizador y lo blande como un sable. Aparece* GENARO.*)*

GENARO	¿Qué está pasando aquí?

CONCEJALA	El gilipollas de tu amigo, que ha arrojado el maletín a la chimenea.

*(*GENARO *pretende acercarse.* MONTANA *le apunta con el atizador.)*

MONTANA	Al primero que se acerque, le reviento los sesos.

(La concejala se sienta. Saca otro cigarrillo.)

CONCEJALA	¿Has pensado qué le vas a decir al dueño del maletín?

MONTANA	No. No lo he pensado. Y me da igual. Ya se me ocurrirá algo.

CONCEJALA	Pues yo que tú le iría dando una vuelta, porque ya no creo que tarde mucho.

MONTANA	Que venga y que me pegue un tiro si quiere. Allá él. Al menos moriré con la conciencia tranquila.

GENARO	¿Acabas de quemar medio kilo? ¿Tú eres tonto o qué coño te pasa, Montana?
CONCEJALA	Un griego de la antigüedad dijo que la conciencia tranquila es síntoma de mala memoria.
GENARO	No fue un griego, fue el calvo de Les Luthiers.
MONTANA	A callar la puta boca. Me dan igual vuestras frases y vuestras salidas para todo. Al primero que abra la boca le doy con el atizador.
GENARO	¿A qué viene esta gilipollez, Montana? ¿Por qué has vuelto? Habría comprendido que cogieras a tu mujer y a tu hijo y desaparecierais, pero esto que has hecho no tiene ningún sentido.
MONTANA	Acaso para ti no lo tenga. Creo que para mí, hace unas horas, tampoco lo tendría. Pero de pronto me he dado cuenta de que me había convertido en un ladrón y…
GENARO	Tú y tus prejuicios morales.
MONTANA	Ríete. Pero ni mi abuelo ni mi padre necesitaron rebajarse al robo para mantener a su familia. Creí que tú tampoco. Y sois los hombres que más he admirado en mi vida ¿Por qué lo hemos echado todo a perder ahora?

GENARO   Porque nunca hasta ahora se nos había pre-
              sentado la ocasión, Montana. Hemos sido
              siempre dos mindundis, dos desgraciados,
              dos botarates. Y para una vez que nos son-
              ríe la suerte, vas y lo arruinas.

MONTANA   Tú lo has dicho, Genaro, la suerte. Si nos
              hubiera tocado la lotería, o una herencia,
              o incluso un premio literario, pues no ne-
              cesitaríamos darle más vueltas. Un golpe
              de suerte en toda regla. Esto es otra cosa,
              Genaro. Esto es vender el alma al diablo.

GENARO   No me jodas, Montana, que ahora también
              crees en el diablo.

MONTANA   Llámalo como quieras, pero sabes bien de
              lo que te estoy hablando. Se me acercó un
              tipo en el Retiro; no era el diablo, pero, para
              el caso, como si lo fuese. Me tentó y yo su-
              cumbí. Luego me fui a tu casa, te tenté, y
              sucumbiste conmigo. Y no imaginas cuán-
              to me arrepiento. Quisimos disfrazarlo como
              si fuera una buena acción. Salvar a la con-
              cejala. Pero, admítelo, en el fondo, lo que
              nos movía eran los quinientos mil euros.

GENARO   ¿Y qué hay de malo en eso?

MONTANA   Pues que hemos acabado aquí. Esperando
              a que unos matones decidan qué hacer con
              nosotros. ¿Te parece poco?

GENARO   Me parece que hicimos lo que habría hecho cualquiera.

MONTANA   Cualquiera que quiera complicarse la vida. Mira, Genaro, confieso que antes he pensado en largarme. Incluso pensé en abandonar a Andrea y Fernandito. Que le den por culo a todo, me dije. Pero tú me conoces, Genaro; sabes que ese no soy yo. He parado el coche en la calzada porque la cabeza me ardía. Y entonces he pensado en mi abuelo. Él siempre tenía una palabra amigable para mí, siempre encontraba el modo de tranquilizarme. Recordé que en una ocasión estaba yo llorando por no sé qué asunto y él se sentó a mi lado y me dijo…

GENARO   Por favor, Montana, no me jodas que nos vas a soltar una batallita de tu abuelo. Un poco de consideración, por favor, que no es el momento.

(MONTANA *levanta el atizador y se muerde el labio inferior.*)

MONTANA   Si vuelves a interrumpirme te rompo la crisma, me cago en mi puta vida, Genaro, que llevo toda la vida soportando tus mierdas sin rechistar.

GENARO   Vale, no te pongas histérico, Montana. Cuenta lo que quieras.

MONTANA

Pues ya no quiero contar nada. Ahora te jodes. Y te quedas con las ganas de saber qué me dijo mi abuelo.

GENARO

Lo que tú digas, Montana.

(*Silencio.*)

MONTANA

Quizás tengas razón. Tendría que haber pillado el dinero y desaparecer. Pero no he podido. Tenía que volver aquí, por varios motivos. El primero, para quemar ese dinero y demostrarle a esta mujer que no todos somos iguales. El segundo, para decirte que te perdono. Entiendo que te enamoraras de Andrea, cómo no lo voy a entender si es la mujer más maravillosa del mundo. Incluso puedo entender que ella también sintiera algo por ti. Por qué no. Eres más inteligente y más guapo que yo y, aunque tienes tus cosas, eres un buen hombre. Lo que me cuesta perdonarte es que me engañaras, que no me consideraras lo suficiente amigo para tráeme a esta casa, para compartir conmigo tus sentimientos. Pero hasta eso quiero sacarlo fuera de mí. He vuelto para arrojar al fuego a todos mis demonios. Si tengo que morir, no lo haré como un cobarde ni con la conciencia sucia.

GENARO

De eso no tengo dudas, morirás como has vivido: pobre y gilipollas.

*(Unas luces entran por la ventana y distraen
la respuesta de* MONTANA. *Ruido de motor deteniéndose frente a la casa.)*

CONCEJALA   Ya está aquí.

MONTANA   No se te olvide hablarle de lo de la buena
intención...

CONCEJALA   Suerte, chicos. La vais a necesitar.

Cuadro **noveno**

Casa Colmenar. Entra el CONSTRUCTOR. *Lo más reseñable de él, su abrigo, largo, carísimo, excéntrico, de nuevo rico.*

CONSTRUCTOR ¿Estás bien?

CONCEJALA Sí, perfectamente.

CONSTRUCTOR ¿No te han hecho daño?

CONCEJALA No, qué va. Todo ha sido un malentendido.

CONSTRUCTOR ¿Un malentendido?

CONCEJALA Es una larga historia.

(El CONSTRUCTOR *se ha quedado embobado delante del cuadro del salón. Luego reacciona.)*

CONSTRUCTOR ¿Y mi dinero?

CONCEJALA El caso es que tu dinero nunca llegó a mí.

CONSTRUCTOR No es eso lo que te he preguntado.

CONCEJALA Tu emisario se confundió y se lo entregó a la persona equivocada.

CONSTRUCTOR ¿A quién?

CONCEJALA A ese tipo de ahí.

(El CONSTRUCTOR *saca una pistola y se la clava en la sien a* MONTANA.)

CONSTRUCTOR ¿Qué has hecho con mi dinero?

MONTANA No sabía que era tu dinero.

CONSTRUCTOR Cierra la puta boca o te juro que...

MONTANA Lo prometo, no sabía que el dinero...

CONSTRUCTOR He dicho que calles o te abro los sesos.

GENARO El muy gilipollas ha tenido un acceso de integridad y lo ha arrojado a la chimenea.

CONSTRUCTOR ¿Y ese quién es?

CONCEJALA Nadie. Un repartidor de cervezas. Poca cosa.

CONSTRUCTOR (A la CONCEJALA.) En el maletero del coche hay un rollo de plástico. Ve a por él.

CONCEJALA Chico, no perdamos la calma. Piensa bien lo que estás haciendo. Estos tipos no son nada. Solo un par de botarates.

CONSTRUCTOR Nadie me birla medio kilo y se va de rositas.

CONCEJALA   Pero no te lo han robado. Lo han quemado. No es lo mismo. Además, matarlos ahora me salpicaría a mí. Su familia sabe que están conmigo. Guarda esa pistola. No merece la pena.

CONSTRUCTOR   Tal vez no merezca la pena, pero puede ser divertido.

CONCEJALA   Vamos, no seas chiquillo. Son solo quinientos mil euros. ¿Qué es eso para ti? Conozco tus cuentas. El año pasado tus empresas obtuvieron unos beneficios por encima de los quinientos millones de euros. Ante esas cifras, medio millón es una gota en el océano. No nos vamos a complicar la vida por tan poca cosa.

CONSTRUCTOR   Es por honor. No se trata del dinero.

CONCEJALA   Claro que se trata de dinero. Siempre se trata de dinero.

(*El* CONSTRUCTOR *no parece convencido. Amartilla el percutor, apunta indiscriminadamente a* GENARO *y a* MONTANA.)

GENARO   Yo no he quemado nada. Ha sido él, que no está en sus cabales.

CONCEJALA   Escúchame bien, el medio millón que han quemado esos hombres es mío. Tú no has perdido nada. Si alguien debería pegarles

un tiro soy yo. Tú no tienes derecho. Así que guarda esa pistola y hablemos de negocios.

CONSTRUCTOR   Ya te he dicho que no es por dinero. Es por respeto.

CONCEJALA   Lo entiendo. Ahora quiero que me entiendas tú a mí. Creo que también me merezco tu respeto. Mira lo que he decidido: con el medio millón que arde en la chimenea te compro la vida de esos dos hombres. Ya pensaré qué hago con ellos. Por lo demás, nuestro trato sigue adelante. Yo firmo la recalificación y vosotros me entregáis el medio millón que falta. Pero solo firmaré si guardas ahora mismo la pistola.

(CONSTRUCTOR *se lo piensa. Guarda la pistola.*)

CONSTRUCTOR   De acuerdo. No los mato. Pero a estos dos capullos nos les puede salir gratis meterse en asuntos que no les incumbe. Van a pagar por lo que han hecho. (*Golpea en la cabeza a ambos con la culata. Caen al suelo y allí reciben una somanta de patadas.*) Si vuelvo a saber de vosotros, no habrá concejala que os salve. (CONSTRUCTOR *se sacude las manos y va hacia la puerta. La* CONCEJALA *va tras él.*) ¿Estás segura de que no van a suponer ningún problema?

CONCEJALA	Claro que lo estoy. No hay por qué preocuparse. Son solo dos botarates, pero saben que les conviene tener la boca cerrada.

(*Salen de escena.* GENARO *y* MONTANA *quedan tendidos en el suelo. Al cabo de unos segundos regresa el* CONSTRUCTOR. GENARO *y* MONTANA *se llevan las manos a la cabeza temiendo que vuelva a rematarlos.* CONSTRUCTOR *pisa los costados de* GENARO.)

CONSTRUCTOR	Quiero que me digas la verdad o te reviento los sesos. ¿Es auténtico?
GENARO	¿El qué?
CONSTRUCTOR	El Vito Cano.
GENARO	¿Quién?
CONSTRUCTOR	El cuadro, coño, ¿es auténtico?

(GENARO *tarda unos segundos en reaccionar. El* CONSTRUCTOR *aplasta el pie contra sus costillas.*)

GENARO	Sí, claro que es auténtico.
CONSTRUCTOR	¿Tienes el certificado de compra?
GENARO	¿El qué?
CONSTRUCTOR	El documento de verificación.

GENARO   No sé de qué me hablas.

CONSTRUCTOR   Joder, si es que poco se os engaña a los po-
                bres para lo que os merecéis.

                *(Descuelga el cuadro y sale con él bajo el bra-
                zo. GENARO y MONTANA se levantan, dolori-
                dos, quejumbrosos.)*

GENARO   Creo que tengo una costilla rota.

MONTANA   A mí me duele todo el cuerpo. Y me san-
                gra una oreja.

GENARO   Hijo de puta, me ha saltado un empaste.

MONTANA   Poco es, para lo que nos merecemos. *(Al
                público.)* En cuanto me lavé las heridas, me
                monté en el coche y salí de allí pitando.
                Desde la puerta Genaro me hizo señas para
                que me detuviera.

GENARO   ¿No me irás a dejar aquí tirado?

MONTANA   Pídete un taxi. *(Al público.)* La verdad es
                que medio kilómetro más adelante me di
                la vuelta. Me dio pena. Siempre he sido un
                flojo, las cosas como son. En cuanto escu-
                chó el ruido del coche salió a la calle. Le
                abrí la puerta del copiloto y le dije que en-
                trara, pero que no quería escuchar ni una
                palabra en todo el viaje.

GENARO   Montana, yo siento mucho que...

MONTANA   Ni una palabra, Genaro. He dicho que ni
            una palabra. (GENARO *sale de escena*. MON-
            TANA *se dirige al público.*) Nos despedimos
            sin un apretón de manos, sin un abrazo,
            sin una puñetera palabra, que no entiendo
            modo más triste de acabar una amistad de
            toda una vida. Pero tenía cosas más impor-
            tantes de las que preocuparme. Tenía que
            decidir cómo enfrentarme a Andrea. De-
            lante de la puerta estuve un buen rato que
            si abro que si no abro.

Cuadro décimo

Casa. ANDREA *abre la puerta, mira la pinta de ecce homo que lleva su marido y se echa a sus brazos.*

ANDREA

Mírate cómo vienes, Montana, ¿Qué te han hecho? (MONTANA *se hace el digno.* ANDREA *toma a* MONTANA *de la mano, lo sienta en una silla y comienza limpiarle las heridas con un algodón.*) Dios mío, Montana, ¿por qué no has respondido a mis llamadas ni contestado a mis mensajes? Seguro que podrías haberte ahorrado esto. He pasado una noche horrible. (MONTANA *se deja hacer en silencio.*) Cuánto lo siento, Montana. Tienes que perdonarme. He sido una estúpida. (MONTANA *asiente con movimientos lánguidos de cabeza, como si ya todo le diera igual en esta perra vida.*) No sé qué me pasó por la cabeza. Fue un pronto. Una mala decisión de la que me arrepentí en cuanto la estaba haciendo. Lo juro. Si pudiera dar marcha atrás, pero ya no hay remedio. Y no sabes cuánto me arrepiento.

MONTANA

(*Al público.*) A buenas horas, mangas verdes. El arrepentimiento llegaba treinta años tarde. Y el caso es que yo la miraba y no

podía creerme lo hermosa que me parecía. Cómo no iba yo a entender que se enamoraran de ella. Lo que me dolía es que se montara en un Ferrari y no tuviera la delicadeza de decirme, mira, Montana, tú eres un buen hombre y un buen marido, pero una tiene sus debilidades y sus antojos.

ANDREA Quizás aún estemos a tiempo de arreglarlo, cariño.

MONTANA ¿Arreglarlo? No sé yo...

ANDREA He actuado como una idiota. Lo sé. No sé qué me pasó por la cabeza...

MONTANA Déjalo ya, Andrea. Si la verdad es que no estoy enfadado. Solo estoy triste. Y necesito tiempo para asimilarlo. (ANDREA *continúa limpiándole las heridas con todo el amor del mundo.*) ¿Por qué no me lo dijiste, Andrea?

ANDREA Ay, cariño, te prometo que no lo sé.

MONTANA Te habría perdonado.

ANDREA ¿Crees que no lo sé? Pero sí me arrepentí en cuanto lo hice. Pero cuando te lo iba a contar ya habías salido de casa. Y luego no ha habido ocasión. Si hubieras cogido mis llamadas...

MONTANA   Ya. Pues creo yo que en treinta años que llevamos juntos te he dado ocasiones para hablar conmigo.

ANDREA   ¿A qué viene eso? ¿Qué dices de treinta años, Montana?

MONTANA   Pues lo que digo, que por tiempo no habrá sido. Y lo que más me duele es que me he tenido que enterar por Genaro.

ANDREA   ¿Genaro? ¿Qué tiene que ver Genaro?

MONTANA   No me hagas decirlo. Es muy doloroso, y creo que tú lo sabes bien.

ANDREA   Pero tú de qué coño estás hablando, si puede saberse. (ANDREA *deja de limpiarle las heridas y lo mira con desconcierto.*) A ver, Montana, cuéntame qué os ha pasado, y mira que no te saltes ningún paso, que sabes que acabaré enterándome, y la liamos.

MONTANA   (*Al público.*) Le conté todo. Con pelos y señales. La confesión de Genaro. Cómo nos habían apaleado. Y cómo había salvado la vida pero matado una amistad. Cómo quemé el maletín con el dinero.

ANDREA   ¿Has quemado el maletín?

MONTANA	No me seas materialista, Andrea. ¿El maletín es lo único que te importa de cuanto te he contado? De verdad que no te reconozco.
ANDREA	Cierra la bocaza, Montana, y contéstame. ¿Has quemado el maletín?
MONTANA	Pues sí, he quemado el maletín. Ya te lo he dicho. Como también te he dicho que casi me agujerean la cabeza por esa chulería, por si no lo has escuchado.
ANDREA	¿Sin abrir?
MONTANA	¿La cabeza?
ANDREA	El maletín, coño, que si lo quemaste sin abrir.
MONTANA	Tenía yo los nervios como para ponerme a abrir el maletín y ponerme a contar billetes...
ANDREA	Entonces, ¿no miraste dentro antes de quemarlo?
MONTANA	Te estás poniendo muy pesada con el asunto, Andrea.
ANDREA	Responde.
MONTANA	No, no miré. No me hacía falta. Sé perfectamente lo que había dentro, ¿no crees?

ANDREA   ¿Y los demás, lo sabían?

MONTANA   Claro.

ANDREA   ¿Estás completamente seguro?

MONTANA   Pero, ¿a qué viene esa perra con el maletín? Olvídate ya del maletín. Te he contado que Genaro confesó lo vuestro y tú rehúyes el tema.

ANDREA   Yo te quiero con locura, Montana, pero a veces me pregunto por qué. (ANDREA *abre el cajón del salón.*) Ven aquí, idiota.

                (MONTANA *hace lo que le piden. Mira al cajón. Mira a* ANDREA. *Mira al público.*)

MONTANA   (*Al público.*) Los malditos quinientos mil euros estaban ahí, delante de mis narices, sin un solo chamuscón, como en un truco de magia que no era capaz de comprender. Comencé a balbucir como un imbécil.

ANDREA   Ayer me levanté antes que tú, me fui hasta el maletín y pensé que era una locura dejar que salieras a la calle con ese dineral, que podrían asaltarte, o perderlo o qué sé yo. Y metí los billetes en el cajón. Luego, en cuanto te vi salir por la puerta, me arrepentí. Pensé que si te presentabas delante de la concejala sin el dinero te ponía en un aprieto. Y te llamé para decírtelo.

Pero tú ni me contestabas ni me devolvías las llamadas.

(MONTANA *tiene que sentarse porque está empezando a sentir vértigo.*)

MONTANA   Pero, entonces, ese dinero...

ANDREA   Ahora es nuestro, cariño.

MONTANA   ¿Nuestro?

ANDREA   Claro. A ojos de Genaro, de la concejala y el mafioso, el dinero se ha quemado. No existe. Este dinero es tuyo y mío. Nos pertenece.

MONTANA   Pero Andreíta, es dinero sucio...

ANDREA   Lo has limpiado tú, con tu sangre.

MONTANA   Eso es cierto. Lo he limpiado y centrifugado, porque la somanta ha sido de órdago.

ANDREA   Eso sí, ese dinero, de momento, a cuentagotas.

MONTANA   Tú mandas.

ANDREA   He visto un local en el barrio, muy mono. Conozco a los dueños. Puedo sacarlo a buen precio. Montaremos nuestro propio restaurante.

MONTANA	Uno de esos modernos. Con arepas y ramen...
ANDREA	Nada de ramen, Montana. No es nuestro palo.
MONTANA	Ay, cariño, no nombres lo de los palos que me duele todo el cuerpo solo de oír la palabra.
ANDREA	Montaremos un mesón, de los de toda la vida. Algo en el que podamos trabajar los tres, Fernandito, tú y yo. Y que con el sueldo se busque un piso y empiece a vivir como un adulto, que ya tiene edad.

(MONTANA *abraza a* ANDREA. *Se acercan los dos a la boca del escenario.*)

MONTANA	¿Andrea?
ANDREA	Dime.
MONTANA	Estoy pensando que el maletín pesaba como si estuviera cargado de billetes y ardió como si estuviera cargado de billetes.
ANDREA	Supongo que sí.
MONTANA	¿Qué había dentro?
ANDREA	Papeles.

MONTANA   ¿Qué papeles?

ANDREA   Esos periódicos viejos que llevaban ahí me-tidos mil años.

MONTANA   Andrea, cariño, ya te vale, que algunos es-taban dedicados. No me digas que he que-mado un autógrafo de Butragueño.

ANDREA   Lo superarás, Montana.

(*Miran a la luna, tomadas de la mano.*)

MONTANA   ¿Andrea?

ANDREA   Dime.

MONTANA   Entonces, entre Genaro y tú...

(*ANDREA le tapona los labios con un dedo.*)

ANDREA   Calla. No seas botarate. Solo miremos la luna, y no digamos nada.

Fin.